£1·50

Pan Oeddwn Fachgen

I'm hannwyl wraig

Argraffiad cyntaf: 2002
© Hawlfraint: Mihangel Morgan a'r Lolfa Cyf., 2002
Cynllun y clawr: Ceri Jones
Llun y clawr: Ruth Jên

*y***Lolfa**

ISBN: 0 86243 648 6

Cyhoeddwyd ac argraffwyd yng Nghymru gan:
Y Lolfa Cyf., Talybont, Ceredigion SY24 5AP
e-bost ylolfa@ylolfa.com
gwefan www.ylolfa.com
ffôn +44 (0)1970 832 304
ffacs 832 782
isdn 832 813

Yn yr atgof hwn, yn f'ymgais i fynd yn ôl i'r gorffennol, fe geisiais atgynhyrchu yr iaith fel yr oedd hi yn   . f'ieuenctid. Prin iawn yw siaradwyr y dafodiaith hon erbyn heddiw, ac felly, rwyf yn dilyn rhai o'r prif nodweddion yn unig: y duedd i galedu (neu i galetu!) cytseiniaid, cyfnewid llythrennau (e.e. *pyrnu*), geirfa arbennig (*bratu, diwetydd, nisied* ac yn y blaen, yn ogystal â *dishgwl* yn golygu edrych, ond *erfyn* yn golygu disgwyl), a ffurfiau berfol. Ond fûm i ddim yn slafaidd o gyson am ddau reswm: yn gyntaf roedd perygl i'r iaith fynd yn rhy ddieithr i ddarllenwyr heddiw (felly ni cheir y terfyniad *–ws* yn y gorffennol trydydd unigol, a nemor ddim ymdrech i gyfleu yr 'æ fain', e.e. *ted, lleth* ac yn y blaen), ac yn aml iawn mae unrhyw ymgais i gyfleu tafodiaith ar ffurf ysgrifenedig yn gallu taro nodyn ffals; ac yn ail, erbyn chwedegau'r ugeinfed ganrif, nid oedd y dafodiaith yn gyson nac yn 'bur', efallai, o'i chymharu â'r iaith yn storïau Islwyn Williams (tafodiaith debyg). Dim ond arlliw ac awyrgylch y dafodiaith a gyflwynir yma. Wedi dweud hynny, tafodieithoedd y de-ddwyrain yw fy mhrif ddiddordeb mewn bywyd, felly ni allwn ymgroesi rhag achub ar y cyfle hwn i geisio atgyfodi iaith yr hen fro, yr iaith fel y'i cofiaf hi.

M.M.

Pan oeddwn fachgen, fel bachgen y llefarwn,

fel bachgen y deallwn, fel bachgen y meddyliwn:

ond pan euthum yn ŵr mi a rois heibio

bethau bachgennaidd. Canys gweled yr ydym

yr awrhon trwy ddrych mewn dameg.

Mor syml yr arferai pethau fod y pryd hynny pan wisgid babanod mewn dillad glas i fechgyn a phinc i ferched. Merched a bechgyn. Mor hawdd y gwahaniaethid rhyngddynt. Du a gwyn, mawr a bech, lan a lawr, mewn a mas, troi a throi. Na – yr un peth yw troi a throi, aros yn yr unfan.

A beth am y gwahaniaeth rhwng bechgyn a merched? *Sugar and spice and all things nice* ar y naill law a *slugs and snails and puppy dogs' tails* ar y llall. Byddai merched yn gwisgo sgertiau a llawer o liwiau pert a blodau arnynt a byddai bechgyn bob amser yn gwisgo trwser cwta, tywyll. Du, llwyd, brown, dyna liwiau dillad bechgyn. A byddai gan ferched wallt hir o gwmpas eu hwynebau ac yn gorwedd dros eu hysgwyddau ac i lawr eu cefnau. Weithiau, gwisgent eu gwallt wedi'i glymu mewn cynffon neu mewn plethen, neu ddwy blethen bob ochr i'r pen, a gwisgent sleidiau yn eu gwallt a rubanau coch, neu wyn neu felyn, wedi'u clymu'n fwa. Gwallt byr oedd gan fechgyn yn ddieithriad.

Mae merched yn whara 'da doliau ac yn whara tŷ 'da llestri bech. Teganau bechgyn yw pethau caled, onglog; trenau a cheir bech, *meccano, lego,* awyrennau, tanciau a drylliau bech. Pethau metalaidd. Maen nhw'n whara milwyr, cowbois ac indians ac yn neud sŵn yn eu cegau, *p'ch, p'ch, p'ch,* sŵn saethu, *dy-dy-dy-drrr, dy-dy-dy-drrr,* sŵn awyren yn bomio. Pan fo bachgen yn cwmpo dyw e ddim i fod i lefain. Dyw bechgyn byth yn dangos dagrau, nenwetig ar ôl cael y gansen. Pan fo merch yn cwmpo lawr yn yr iard mae hi'n gallu llefain. Dyw merched ddim yn cael y gansen. Byth. Dyw bechgyn ddim i fod i fwrw merched, ond mae merched yn bwrw'i gilydd yn aml.

Dyw merched ddim yn gorfod whara pêl-droed. Mae'r bechgyn yn gwisgo crysau streipiog – rhai 'da streipiau coch a gwyn a bechgyn yr ysgol arall yn gwisgo streipiau melyn a du fel gwenyn. Maen nhw'n rheteg o'th gwmpas i bob cyfeiriad fel heidiau o wenyn melyn a du a choch a gwyn – rwyt ti'n gwisgo crys coch a gwyn – ac maen nhw'n cico'r bêl. Dwyt ti ddim yn cico'r bêl. Mae baw o'r cae gwlyb ar goesau'r bechgyn ac ar eu trwseri cwta gwyn ac maen nhw'n gweiddi ar ei gilydd fel creaduriaid gwyllt. Does dim clem 'da ti beth yn y byd sy'n digwydd. Ti ddim yn deall y gêm 'ma. Ti'n sefyll ar ochr y cae gan obeithio na fydd neb yn edrych arnat ti achos dwyt ti ddim yn gwbod beth i'w neud na beth i'w weiddi nac i ba gyfeiriad i reteg. Mae'r athro, Mr Evans – Dap mae pawb yn ei alw fe tu ôl i'w gefn – mae Dap yn hwthu'i whisl lliw arian yn awr ac yn y man ac yn gweiddi nes bod ei wyneb mawr yn troi'n lasbiws. Mae'n gweiddi ar y bechgyn ac yn pwynto at y bêl ac rwyt ti'n teimlo dy fod ti ar goll yn llwyr, yn ofon cwmpo yn y baw, yn gobeitho na fydd Dap yn sylwi arnat ti achos dwyt ti ddim wedi rheteg o gwbwl eto.

Ti'n ofni symud.

Yna, yn sytyn, mae'r bechgyn yn rheteg a rheteg ar ôl y bêl unwaith eto i'r naill gyfeiriad ac yna i'r llall gan newid cyfeiriad fel haid o bysgod bech yn y dŵr yn y llyn yn y parc. Yn sytyn 'to ti'n gweld y bêl yn dod tuag atat ti fel taranfollt o'r awyr. Rhaid i ti neud rhwpeth neu mae'n mynd i dy daro di yn dy wyneb. Felly, heb feddwl, dyma ti'n estyn cic ati. Mae hi'n mynd lan i'r awyr 'to. Ond ti'n disgyn ar dy gefn yn y baw gwlyb. Wedyn mae lot o sŵn, bechgyn yn bloeddio "Hwrê! Hw-rê!" Ti'n codi i sefyll ar

dy draed 'to. Cymysgedd o weiddi a wherthin a hwtian.
Mae rhai o'r bechgyn yn gafael amdanat ti, yn dy wasgu,
dy gofleidio. Y bechgyn o'r ysgol arall yn y crysau du a
melyn. Mae bechgyn ein hysgol ni yn dishgwl yn gas. Be
sy'n bod? Ti ddim yn deall. Felly ti ddim yn gofyn. Daw
Cefin atat ti. Ti wedi rhoi gôl iddyn nhw. Mae Dap yn
dishgwl fel 'sa fe'n mynd i hwthu lan. Dwi'n mynd i sorto
di mas ar y ffordd 'nôl, meddai. Mae dagrau yn llenwi dy
lygaid achos ti wedi llithro yn y baw, ti'n lyb ac mae'r
bechgyn yn neud hwyl am dy ben di.

Dydd Gŵyl Dewi. Mae'r gwahaniaeth rhwng y
bechgyn a'r merched yn amlwg. Mae'r merched i gyd yn
gwisgo hetiau du tal fel gwrachod ond gyda'r pig ar y top
wedi'i dorri bant, neu fonedau bech du o gwmpas eu
clustiau a siolau gydag ymylon rhidens neu lês a ffetogau a
sgertiau brethyn gyda sgwarau bech du a gwyn neu ddu a
choch arnyn nhw ac maen nhw'n gwisgo daffodiliau
mawr melyn ac maen nhw i gyd yn dishgwl yn bert, hyd
yn oed Rhian a Carol. A beth wyt ti'n ei wisgo?
Cenhinen. Yr un dillad ag arfer – du, llwyd, brown – a
chenhinen fechan ffelt – yr un genhinen bob blwyddyn.
Mae Mam yn ei chadw hi mewn drâr ac mae pìn caead
bech o liw our 'da hi ar ei chefn. Dyna 'gyd mae'r
bechgyn yn cael gwisgo ar Ddydd Gŵyl Dewi – cennin.
Mae rhai yn gwisgo cennin Pedr yn lle cennin, ond maen
nhw'n sisis. Ond dwyt ti ddim yn sisi y tro hwn achos ti'n
gwisgo cenhinen fech ffelt. Ond rwyt ti'n llygatu hetiau
tal, bonedau, siolau, ffetogau a sgertiau'r merched ac yn
teimlo'n genfigennus.

Ond does neb yn gwbod hynny. A dwyt ti ddim i fod
i weud wrth neb. Neb, cofia.

Rwyt ti'n naw oed, bron yn naw oed. Wyth a thri
chwarter. Byddi di'n naw oed ar dy ben-blwydd nesa.
Weithiau mae dy fam yn anghofio, a phan ofynnodd Miss
Bowen iddi beth oedd d'oetran di y diwrnod o'r blaen
wedodd dy fam mae fe'n naw oed. Rwyt ti'n edrych
ymlaen at fod yn naw oed er mwyn cael bod yn ddeg
wedyn. Achos pan 'ych chi'n ddeg mae dou ffigwr 'da chi
yn y'ch oetran chi weti 'ny, yr 1 a'r 0. Chi'n nes at dyfu
lan. Mae Siân dy wh'er yn un deg wyth ond y diwrnod
o'r blaen gwedodd Mam wrth Miss Bowen, pan oedd
honno'n gofyn lot o gwestiynau, mae'n un deg naw. Ond
tynnest ti ei braich a gweud, na, smo hi'n un deg naw 'to,
Mam, mae hi'n un deg wyth o hyd.

Mae hi'n gweitho yn y Cop ac yn mynd i'r Coleg
Addysg Bellach yn y nos i goginio. Ac mae'n mynd mas
bob nos, bron. Ti fel sipsi, meddai dy dad wrthi. Smo hi'n
lico hynny. Mae hi'n moyn sefyll mas tan yn ddiweddar
yn y nos ond mae dy dad yn gweud bod rhaid iddi fod
'nôl cyn deg. Cyn deg, cofia! Ond rwyt ti'n gorfod mynd
i'r gwely cyn hynny a ti'n mynd i gysgu fel arfer; ti byth
yn clywed Siân yn dod sha thre. Ac mae hi'n mynd i'r
gwaith yn y Cop yn gynnar yn y bore, felly dwyt ti ddim
yn ei gweld hi'n aml nawr.

Mae Siân yn cerdded yn glou ac ar y sil ffenest yn ei
stafell wely mae 'da hi bentwr mawr o gomics – *Batman,
Creepy Stories, Superman, Green Lantern, Tales from the Crypt,
Rubberman, Spiderman, Superwoman*. Comics i fechgyn ydyn
nhw ond sdim ots 'da Siân, mae hi'n lico nhw ac mae hi'n
darllen beth mae hi moyn darllen. Yng nghomics dy wh'er
ti'n gweld hysbysebion am bethau gwych. Sgidiau i neud i
chi ddishgwl yn dalach, *X-ray specs* fel eich bod chi'n gallu

gweld trwy ddillad pobol, a chwrs Charles Atlas, *You Too Can Have a Body Like Mine* – mae fe'n mysls i gyd. Mae cartŵn 'da hysbyseb Charles Atlas: bachgen tenau ar y traeth a bechgyn mawr yn cico tywod i'w lygaid wrth basio fe, yna mae fe'n sgrifennu at Charles Atlas i gael ei gwrs drwy'r post, a dyna fe'n neud yr ymarferion, ac wedyn dyna fe 'da chorff mawr fel Tarzan.

Dyna'r ateb i ti, falle! 'Set ti'n cael cwrs Charles Atlas ac yn gwisgo'r sgidiau 'na i neud i ti fod yn dalach, falle 'set ti'n fwy o ddyn weti 'ny. Ond ti ddim eisiau corff Charles Atlas. Eisiau dy gorff dy hun wyt ti. Ti'n lico'r syniad o'r *X-ray specs*, ond nace i ti ond i'w rhoi nhw i bobol eraill – Mam, dy Dad, Siân, Paul, Mr Phillips, Dap, Miss Corncrofft, ac wedyn falle base pobol yn gallu gweld trwy dy ddillad a thrwy dy groen i mewn i ti dy hun a gweld taw merch wyt ti go iawn. 'Set ti'n gorffod pyrnu ucian pâr ohonyn nhw o leia. Ond sdim doleri 'da ti ac mae prisiau'r pethau yn yr hysbysebion 'na i gyd mewn doleri Americanaidd ac maen nhw'n gofyn am eich *zipcode* a does dim *zipcode* 'da ni yng Nghymru, meddai Siân, ta beth yw *zipcode*.

Mae Siân yn gallu peintio he'yd. Na'th hi lun mawr o Peter Pan pan o'dd hi yn yr ysgol; mae'n dalach na ti, y llun, ac mae'i ddillad yn wyrdd a Tinkerbell yn hedfan o gwmpas ei ben fel iâr-fach-yr-ha.

Bob dydd Sul rydych chi'n mynd i'r capel gyda'ch gilydd – Mam, Siân a tithau. Dyw dy dad byth yn mynd. Ac mae Siân yn casáu'r capel a bob dydd Sul mae dy fam a hi'n gweiddi ar ei gilydd. Siân yn gweud taw hipocrits 'yn nhw i gyd. Ond dy fam sy'n cario'r dydd bob tro ac mae Siân yn gorffod mynd. Ti'n ishta wrth ei hochor hi

yn y bore yn y Festri, yn y prynhawn rydych chi'n cael
Ysgol Sul yn y Capel Mowr ac mae Siân yn ishta 'da'r
bobol ifenc, dy fam 'da'r bobol o'r un oetran â hi a tithau
'da'r plant eraill, yn fechgyn a merched.

Duw cariad yw. Ystyr hynna yw fod Duw yn gariad;
cariad yw Duw. Duw cariad, cariad Duw. Yr un peth.
Duwcariadywcariadywcariadywcariadywcariad
cariaduwcariaduw. Ti'n gweud y geiriau drosodd a
throsodd. Dydyn nhw ddim yn gwneud synnwyr.

Ti'n niwsans yn yr Ysgol Sul. Ti'n gofyn cwestiynau i
Miss Prosser – Bopa Menna mae pawb yn ei galw hi – ti'n
gwneud hyn i'w phryfocio hi er ei bod hi'n hen fenyw
annwyl i bawb ac yn amyneddgar iawn gyda'r plant bech,
ti'n mynd ar ei nerfau hi. Mae dy fam yn gallu dy weld ti
o'i sedd hi gyda'r bobol mewn oed ac mae hi'n dishgwl
arnat ti'n gas, cystal â gweud bihafia.

O ble daeth gwragedd Cain a Seth? Sut allai
Methiwselah fod yn 969 oed? Yn y *Guinness Book of
Records* y cest ti am gasglu at y genhadaeth, 113 yw oetran
y dyn hynaf yn y byd. Oty angylion yn ddynion neu'n
fenwod?

Yn y cwpwrdd mowr yn y stafell fech y tu ôl i'r Festri
mae 'na adenydd angel. Ti'n gwpod, wath ti wedi'u gweld
nhw.

Yn y Festri yn y bore mae'r menwod yn eistedd ar
y meinciau ar y chwith a'r dynion yn eistedd ar y
meinciau ar y dde. Rwyt ti'n eistedd 'da Siân a Mam y
tu ôl i Miss Lloyd gyda'r cenawon cadno yn hongian o
gwmpas ei hysgwyddau. Cadnoid bech ydyn nhw, gyda
phawennau ac ewinedd a chynffonnau. Mae Miss Lloyd
yn canu ar dop ei llais uchel sydd wedi cracio – Pa Dduw

sy'n ma-addau fe-el Tyd-i? a'r cenawon yn siglo'u cynffonnau a'u llicad bech gwydr yn fflachio.

Mae'r menwod i gyd yn gwisgo hetiau a chotiau a ffwr arnyn nhw a smotiau o liw a broetsys. Mae'r lliwiau yn ddigon o ryfeddod. Ond mae'r dynion yn gwisgo siwtiau. Du. Brown. Llwyd. Tasai dy dad yn dod i'r capel efallai y baset ti'n eistedd yr ochr 'na, gyda'r dynion.

Prynodd dy dad set *meccano* i ti un Nadolig achos roedd un 'da fe pan oedd ynte'n grwtyn a chawsai oriau o bleser yn whara 'da fe, meddai fe. Darnau metal a thyllau ynddyn nhw a sgriwiau a bolltau a fframau a llyfrau o ddarluniau du a gwyn yn dangos sut i neud crên neu danc. Ond dwyt ti ddim yn gwpod be i'w neud 'dag e. Bob hyn a hyn byddi di'n dod ag e mas o'r bocs ac yn jocan neud rhwpeth 'dag e. Rhag ofn i ti frifo dy dad wrth anwybyddu'i anrheg. Ond dwyt ti ddim wedi adeiladu dim byd 'to. Dim crên. Dim tanc.

Mae rhwpeth yn troi yn dy feddwl. Mae Siân wedi dod â ti i'r panto. Dynion yw'r menwod hyll mewn gwirionedd ond mae'r tywysog hardd yn ferch. Beth yw ystyr hyn? Oty'r dyn mwyaf hyll yn troi'n fenyw, a'r ferch harddaf yn y byd yn troi'n llanc? Neu, oty'r llanc mwyaf hardd mewn gwirionedd yn ferch a'r dyn mwyaf salw yn fenyw? Neu, fel arall, y fenyw salw yn ddyn? Y ferch bert yn fachgen? Dyma dy ddryswch. Ar ben hynny mae 'na ddynion a menwod a merched a bechgyn eraill yn y panto. Beth ydyn nhw? Y bobol gyffredin 'ma? Gwŷr neu wragedd? Gwragedd neu wŷr? Ac wrth i ti bendroni uwchben y pethau hyn rwyt ti'n colli stori'r panto i gyd.

Mae gan Siân hen ffrog yn y wardrob. Mae'n cofleidio'i chorff yn dynn o'i hysgwyddau lawr at ei gwasg. Mae'r gwddw yn isel ac yn dangos top ei mynwes. Ond o'i chanol i lawr at ei phengliniau byddai'n llaes ac yn hongian yn llac fel petalau blodyn wedi gwywo oni bai am bais y mae Siân yn ei gwisgo oddi tani. Mae hon yn sboncio allan yn blygion ar blygion, fel crisanthemym â'i ben i lawr, y bais 'ma sy'n lliw glas golau. Mae patrwm y ffrog ei hun yn ddigon o ryfeddod, y cefndir yn wyn ac arno rosynnod mawr o liw porffor tywyll.

Mae cefndyr yn dod i sefyll gyda chi. Mae Wncwl Aled ac Anti Maureen yn dod hefyd, wrth gwrs. Mae Robert ac Alan a Muriel i gyd yn eu harddegau – Alan, yr iengaf, newydd droi tair ar ddeg. Byddi di'n mynd am dro gyda'r bechgyn ac Wncwl Aled i lawr at y bont i weld y trenau'n mynd oddi tani nes i chi i gyd gael eich amgylchynu gan stêm. Mae hi fel bod mewn cwmwl yn yr awyr am gwpwl o funudau, popeth o'ch cwmpas yn diflannu, dim ond mwg.

Dwyt ti ddim yn deall pam mae Alan a Robert yn dwlu, fel maen nhw, ar drenau, ond rwyt ti'n lico mynd gyda nhw a sefyll ar y bont ym mwg y trên. Mae'n well 'da ti Alan na Robert – Robert yw'r hynaf. Er bod Alan yn hŷn na ti ac yn ei arddegau nawr, mae pawb yn ei alw yn Alan bech, neu Little Alan – wath taw dim ond Sisneg maen nhw'n gallu siarad. Alan yw'r un bech yn ei deulu e. Ond mae'n bryd inni beidio â'i alw fe'n Little Alan nawr, meddai Wncwl Aled. Mae Alan bob amser yn fodlon whara 'da ti. Chi'n whara *Beetle Drive*, *Snakes* a *Ladders* a *Chess*. Alan ddysgodd holl symudiadau'r darnau i ti. A dyw e ddim yn ennill bob tro. Yn ei ardd yn ei gartre ym Mryste mae gan Alan hen fosh a dŵr ynddo a

chreaduriaid yn byw ynddo. Mae'n dwlu ar anifeiliaid ac
adar a physgod a phryfed o bob math. Mae'n catw pryfyn
od mewn jar. Mae'n dishgwl yn debyg i'r priciau a'r dail
sydd yn y jar, yn wir mae'n anodd gweud y gwahaniaeth
na gweld y pryfyn; *stick insect* yw e. Mae'n anweledig
bron. Liciet ti fod fel y creadur 'na fel na allai neb dy weld
ti'n symud yn dy fyd bech.

Ti'n lico Alan ond ti'n caru Muriel. Mae sbectol fech
gron 'da hi ac mae'n gwisgo sleidiau 'da ieir-bach-yr-haf
neu adyrnod arnyn nhw yn ei gwallt crychiog. Mae hi'n
lico darllen. Mae hi'n darllen storïau i ti. 'The Water
Babies', 'The Princess and the Pea', 'Rapunzel', ac mae hi
wedi dy helpu di i ddarllen. Yn Sisneg. Rwyt ti'n
dymuno bod yn agos at Muriel drwy'r amser. Ti'n dwlu
ar ei gwynt hi, ei chnawd meddal, ei gwallt. Mae'n neis.

Yna, un noson, rwyt ti'n gofyn gei di gysgu yn yr un
gwely â hi. Mae dy dad a mam yn gweud na ac Wncwl
Aled ac Anti Maureen yn gweud na hefyd. Rwyt ti'n
pledio, yn crefu arnyn nhw. Na. Pam? Achos dyw
merched a bechgyn ddim i fod i gysgu yn yr un gwely?
Pam? Mae Robert ac Alan yn wherthin. Na yn bendant
oddi wrth Wncwl Aled. Plîs! Yn sytyn ac am ryw reswm
dwyt ti ddim yn gallu cysgu ar dy ben dy hun ac yn dy
wely dy hun – er dy fod ti wedi bod yn gwneud hynny'n
iawn tan y noson honno. Heno, heb Muriel, alli di ddim
cysgu ar dy ben dy hun. Mae Muriel yn barod i ildio er
dy fwyn di, am y noson. Na, yn bendant, oddi wrth yr
oedolion i gyd a dyna ben ar y mater.

Chysgest ti ddim wedyn y noson honno, dim ond
gorwedd yn y gwely bech sy'n plygu ac Alan a Robert yn

cysgu yn dy wely di, Siân a Muriel yn cysgu yn stafell
Siân, Anti Maureen ac Wncwl Aled yn y stafell bac a dy
dad a mam yn eu gwely nhw.

Pan aeth y teulu sha thre i Fryste y bore wedyn wetest
ti ddim gair wrth Alan achos ei fod e wedi wherthin ar dy
ben di am dy fod ti'n moyn cysgu gyda merch.

Ti'n cerdded sha thre o'r ysgol.

Hey! Welshy!

Bechgyn mawr. Mae arnat ti ofon y bechgyn mawr
hyn o'r ysgol arall felly ti'n trio cerdded yn dy flaen heb
droi i ddishgwl arnyn nhw. Ond dyma nhw'n dod i sefyll
ar dy ffordd a sefyll o'th gwmpas ac alli di ddim gwthio dy
ffordd heibio iddyn nhw.

Dro arall mae'r un criw yn dy ddal di yn y parc. Un
ohonyn nhw'n dodi'i law dros dy geg. Ti ddim yn gallu
gweiddi nac anadlu. Maen nhw'n dy dynnu di i mewn i'r
perthi rhododendron. Yn giglan drwy'r amser. Ond rwyt
ti'n mygu. Yna maen nhw'n tynnu dy drwser lawr. Er i ti
gicio a stryglan, maen nhw'n rhy gryf a dwyt ti ddim yn
gallu neud dim i'w stopio nhw. Ti'n trio gweiddi, ond
dim ond sŵn "Mmm-mm!" sy'n dod trwy'r llaw dros dy
geg.

Oh, he have got a bit of a cock after all!

Maen nhw'n cyffwrdd â ti ac yn wherthin. Bysedd
garw. Wynepau a thrwynau plorynnog. Cysgodion o
fwstasys. Ti'n dal i gicio a stryglo ond maen nhw'n
cydio'n dynn yn dy freichiau a'th goesau. Ti'n ofni dy fod
ti'n mynd i lewycu.

Ond dyma nhw'n clywed rhyw fwstwr ac yn rheteg i
ffwrdd. Ti'n crio ac yn tynnu dy drwser lan. A dyma'r
parcipar yn sefyll yna, ei wyneb yn goch.

Dirty little sods! I know whot you been up to. Don'
try pullin the wool over my eyes.

Ti'n rheteg sha thre. Cyn i ti gyrraedd y tŷ ti'n sychu
dy ddagrau ac yn sychu dy wyneb ac yn trio rheoli'r
ebychiadau-ôl-crio gorau galli di.

Ti'n dawel heno, meddai dy fam amser bwyd. O's
rhwpeth yn bod? Mae dy dad yn gofyn.

Nac o's.

Alli di ddim gweud be nath y bechgyn 'na i ti, hyd yn
oed wrth Siân. Ti'n syllu ar y sêr a'r lleuadau'n arnofio ar
wyneb y cawl.

Mae rhwpeth yn rong. Mae rhwpeth o'i le, ti'n gwpod
'ny ond smo ti'n gwpod beth yw e. Nace un peth ond
pob peth. Popeth – yr awyr, dŵr, bwyd, pobol – yn
enwetig pobol, ond mae pob un o'r pethau hyn – a mwy
– yn rong.

Neu, ynteu, nhw sy'n iawn a ti sy'n rong? Yn y lle
rong ar y pryd a'r amser rong yn y corff rong?

Smo ti moyn byta dim. Ti ddim yn lico teimlad y
bara'n rhwygo ar dy ddannedd ac yn glynu wrth dy dafod.
Smo ti'n lico hadau bech tomato na chiwcymbers, na
gwynt tomatos hyd yn o'd. Alli di ddim byta cig – cnawd
creaduriaid oedd yn byw. Mae wyau yn neud i ti
dcimlo'n sic a ti wastad yn tacu ar datws a llysiau. Ti ddim
yn gallu godde jeli na *blancmange* na theisen yn dy lwnc di
– 'na pam ti ddim yn lico mynd i bartis, ontefe, ti'n ofni
mynd yn sic – ac mae ffrwythau, afalau, orenau ac yn y
blaen yn rhy sur a bananas yn debyg i datws wedi'u
coginio'n rhy hir, yn feddal fel llwch neu'n teimlo fel
gwlân yn dy geg sy'n dy hala di i dacu. Ti'n casáu tatws
siwps neu datws wedi'u berwi nes eu bod nhw'n feddal.

Dim ond tatws caled, wedi'u berwi 'mond tamed bech, a tsips ti'n gallu byta, ontefe, a thatws wedi ffrio, 'falle. Y peth gwaetha yw cwstard; mae'r cro'n yn hala ti'n sic yn syth, ontefe?

Mae gweld pobol eraill yn byta a'u clywed nhw'n cnoi'u bwyd yn eu pennau ac yn ei linci yn codi pwys arnat ti. Ac weithiau mae pobol yn siarad 'da'u pennau'n llawn o fwyd, yn agor eu cegau a bwyd ar ei hanner yn siwps i gyd fel cyfog ac alli di ddim dishgwl neu fe fyddi di'n sic. Mae pob pryd o fwyd yn peri gofid i ti.

Rhaid iddo fyta, meddai dy dad wrth dy fam. Smo fe'n gatel y ford 'ma nes 'i fod e'n cwpla'i fwyd i gyd a chlirio'i blât.

Ond yn y diwedd bu'n rhaid iddyn nhw gytuno i ti gael eistedd ar wahân iddyn nhw amser bwyd, i ti gael byta ar dy ben dy hun, er dyw dy dad ddim yn lico'r drefn 'ma o gwbwl. Ti ddim ond yn gallu byta creision, siocled a bisgedi sinsir caled. Mae dy dad yn eu gwlychu nhw yn ei de nes eu bod nhw'n meddalu ac yn mynd yn siwps, sy'n codi pwys arnat ti.

Rhaid i ti fyta mwy na 'ny, meddai Siân, neu byddi di'n marw o newyn, t'wel.

Sdim ots 'da fi, dyna beth wyt ti'n gweud wrthi. Ond mae ots 'da ti wath rwyt ti wedi gweld lluniau o bobol yn newynu adeg y rhyfel ar y teledu yn *All Our Yesterdays*, y pentyrrau o gyrff, dwmbwl dambal.

Y pethau mwya rong yw dillad. Dillad pobol eraill a dy ddillad dy hun. Ond dy ddillad di yn bennaf. Y dillad rwyt ti'n cael dy orfodi i'w gwisgo. Dy ddillad di a'r corff o dan y dillad. Ti'n gwisgo'r dillad rong a ma 'da ti'r corff rong. 'Set ti'n gallu newid y dillad 'set ti'n teimlo'n well,

smo ti'n meddwl? Ond 'sa'r corff yn rong o hyd. Dy gorff
bech tenau – ti'n gallu teimlo'r asennau; ti'n dishgwl fel
un o'r bobol 'na'n newynu yn *All Our Yesterdays*. Falle dy
fod ti'n newynu hefyd, cofia. Ych-a-fi.

Weithiau byddai Siân yn dy drin di fel oedolyn – pan
nad oedd un o'i ffrindiau ei hun ar gael.

Dere i gwrdd â fi ddydd Satwrn nesa yn Servinis ar ôl i
mi gwpla 'ngwaith yn y Cop. Ti'n gwpod lle mae fe, on'd
wyt ti? Ar bwys y farchnad. Paid â bod yn ddiweddar,
cofia. Wna i ddim dishgwl amdanat ti'n hir.

Ond rwyt ti'n gynnar. Rwyt ti'n sefyll yn y caffé yn ei
herfyn hi ond dwyt ti ddim yn mentro mynd i eistedd
ymhlith yr holl bobol fawr rhag ofn i un o'r gweinyddesau
ddod atat ti a gofyn be ti moyn.

Ond dyma dy chwaer yn dod i'r golwg o'r diwedd.
Dyw hi ddim yn clywed yr ochenaid fach o ryddhad rwyt
ti'n ei gollwng. Mae hi'n gwisgo sbectol haul sy'n gwneud
iddi deimlo'n hŷn ac yn bwysig. Ond i ti mae hi'n
disghwl yn od, fel dieithryn, ac yn ddilygaid. Hefyd, mae
hi'n gwisgo minlliw oren.

Mae cysgod o amheuaeth yn croesi dy feddwl. Ai Siân,
dy chwaer di, yw hon? Mae'r cwmwl yn pasio.

Paid â gweud wrth Mami, meddai.

Yn sytyn rwyt ti'n teimlo'n falch ohoni. Mae'n henach
na ti ac yn dishgwl fel rêl ledi; mae'n debyg i Jackie
Kennedy. Mae hi'n jocan bod yn ledi hefyd.

Ti'n myn' i gael *cappucino*?

Beth yw hwn'na?

Coffi.

Smo fi'n lico coffi.

Smo ti wedi trio fe, felly sut wyt ti'n gwpod?

Mae Siân yn gwpod sut i dy drin di'n well na neb.

Mae pawb yn yfed coffi, meddai.

Wedyn mae'r ferch yn dod at eich bord chi a Siân yn gweud –

Two frothy *cappucinos*, please.

Llawn awdurdod. Rwyt ti wrth dy fodd gyda hi yn yr hwyliau hyn, fel petai hi'n gwpod popeth. Anaml y bydd hi'n cymryd sylw ohonot ti fel hyn. Crwtyn bech o frawd wyt ti. Yn glwtyn o grwtyn, meddai hi, er mwyn dy boeni di a hala ti'n grac. Mae'n gweithio bob tro. Fel arfer mae hi'n dy drin di fel baw isa'r domen a dyna pryd y byddi di'n ei gwylio hi'n ofalus, fel cadno, am bob arwydd o'i hieuenctid hithau, am y smic lleia o blentyneiddiwch, er mwyn ei hatgoffa taw dim ond newydd adael yr ysgol y mae hi.

O, dyma'r coffi. Dishgwl ar y topiau ffrothi 'ma. Fel hyn maen nhw'n yfed coffi yn America.

Ga i ddoti tri siwgr yn un fi?

Cei, cariad.

Dwyt ti ddim yn ei deall hi'n iawn yn yr hwyliau hyn. Dwyt ti ddim yn siŵr ohoni hi chwaith. Fel cath, gallai hi droi'n gas mewn fflach a bod yn 'wh'er fawr' unwaith eto. Ond am y tro mae hi'n dy drafod di fel un o'i ffrindiau hi ac yn dy barchu di; yn wir, mae hi'n annwyl iawn, a man a man i ti fwynhau dy hun tra bo'r pwl 'ma'n para.

Mae hi wedi bod i rywle; wedi dod o rywle arall cyn iddi ddod yma i'r caffi ar ôl iddi orffen ei gwaith. Dyfalu wyt ti.

Dwi'n myn' i gael caws. Ti moyn peth?

Smo fi'n lico caws, medde ti.

Smo ti wedi trio. Mae pawb yn byta caws. Nenwetig ar ôl c'el coffi. Wi'n myn' i g'el caws a bisceti.

Mae hi'n dishgwl o'i chwmpas, fel petai hi'n rhywun o bwys a phawb yn ei nabod hi. Wel yn y dre mae lot o bobol yn ei nabod hi, wath mae hi'n gweithio yn y Cop. Ond yn ei meddwl hi nace yn y dre mae hi nawr. Meddwl ei bod hi yn America neu Baris mae hi, siŵr o fod.

Dere 'ml'en, tria damed bech o gaws. Fe dorra i bisyn 'run siâp â dy fys di i ti g'el blas.

Mae hi wedi llwyddo 'da'r coffi ond mae'r caws yn rhy siarp.

Mae hi'n bert. Mae'n gwisgo ffrog 'da lot o binc ynddi ond ddim mor bert â'r un 'da'r blodau porffor arni yn y wardrob, sy'n rhy hen ffasiwn idd' ei gwisgo nawr, meddai hi. Roedd hi'n arfer bod yn ffan o Tommy Steele ond mae hwnnw'n hen ffasiwn nawr hefyd.

Mae croen wedi'i ffurfio ar ben y coffi sydd wedi oeri ac mae'n neud i ti deimlo'n sic. Ti ddim yn mynd i yfed rhagor.

Dere! Glou!

Pam?

R'yn ni'n myn' i'r Rex.

I weld ffilm?

Nace, i Gymanfa Ganu.

Pa ffilm 'te?

Unrhyw ffilm, beth yw'r ots? Cei di weld 'e'fo'n hir nawr.

Peth mawr oedd mynd i'r sinema. Doeddet ti ddim yn erfyn mynd i weld unrhyw ffilm. Fel arfer byddet ti wedi mwynhau'r edrych-ymlaen a pharatoi'r meddwl. Ond mae dy wh'er Siân wrth ei bodd yn neud pethau dirybudd a hollol annisgwyl fel hyn.

Cydia yn dy law gan dy lusgo di ar ei hôl hi i'r Rex. Mae'n cerdded yn gyflym yn ei sgidiau sodlau-uchel.

Paid. Ti'n mynd yn rhy glou.

Na, dwi'n slowo lawr nawr, 'shgwl. O, dere glou, cyn iddyn nhw newid y ffilm.

Dyw hi byth yn arafu iti. Ti'n gorfod rheteg bron i gadw lan.

Those Magnificent Men in Their Flying Machines yw'r ffilm ac mae lluniau allan ohoni i'w gweld ar fwrdd ar y wal ar bwys y drysau gwydr mawr. Tu fewn mae'r fenyw gas yr olwg yn cymryd yr arian am y tocynnau, ac mae hi'n eistedd mewn cas gwydr yng nghanol y cyntedd. Lliw gwyrdd uwchben ei llygaid ar ei hamrannau.

Mae'r Rex yn lle hud a lledrith, lle arallfydol. Darlun o goed a phlanhigion rhyfedd uwchben y lle-gwerthu-tocynnau. Grisiau llydan ar y chwith ac ar y dde a'r geiriau swyngyfareddol 'Circle' a 'Stalls' ar chwarel o wydr yn hongian uwchben yr archffordd sy'n arwain at y grisiau hyn. Posteri ar y waliau yn hysbysu ffilm i ddod. Mae'r fynedfa'n fawr ac yn grand.

Siân, gawn ni fynd i weld y ffilm 'na?

Ddaw honno ddim am fisoedd eto. Ta beth, r'yn ni yma i weld *Those Magnificent Men* nawr. Ac mae Richard Burton yn y ffilm 'na. Smo fi'n lico fe. Ta beth, mae'n rhy hen i ti, y ffilm 'na. Dim ond oedolion sy'n c'el mynd i weld ffilm fel 'na.

Pam?

Fe weda i wrthot ti pan fyddi di wedi tyfu.

Ond byddi di'n anghofio.

Wel, fe ddoi di i ddeall dy hunan, 'e'fo'n hir. Smo ti'n edrych ymlaen at weld *Those Magnificent Men*?

Odw.

Yna, ar y ffordd lan y grisiau mawreddog dyma fi'n gofyn –

Siâ-ân, gawn ni hufen iâ?

Cawn, pan ddaw'r ferch rownd 'da'r tray.

Siân, odi Tommy Steele yn neud ffilmiau?

Sa' i'n gwpod. Sdim ots 'da fi am Tommy Steele nawr.

Wyt ti'n lico'r Beatles 'te?

Neg w.

Mae hi'n dywyll fel cwtsh-dan-stâr a'r drws wedi cau yn y sinema nes i ferch ddod atoch chi 'da golau tors coch a chymryd y tocynnau oddi wrth Siân, eu rhwygo nhw a rhoi hanner 'nôl iddi a sticio'r haneri eraill ar nodwydd hir 'da lot o docynnau eraill. Ac wedyn mae'r ferch yn fflachio'r tors dros y seti cochion melfaréd i ddangos y llefydd gwag lle cewch chi eistedd.

Siân, mae'r seti 'ma'n neud i mi feddwl am y sêt fawr yn y capel.

Ust, meddai hi a chwerthin, meddylia am Llewelyn Lloyd yn eista yn un o'r rhain.

Y ddau ohonoch chi'n chwerthin a phobol yn dishgwl yn gas arnoch chi ar bob llaw ac yn mynd "ust!" gyda'i gilydd fel llond bocs o seirff. Mae Siân yn plygu ac yn sibrwd yn dy glust –

Dylsai rhywun weud wrthyn nhw i ust â'u hustio!

Y ddau ohonoch chi'n piffian chwerthin. Mae'n braf eista ar bwys Siân, ei sgert yn cosi dy goesau, ond braich ei chardigan yn hyfryd o feddal yn erbyn dy wyneb. Mae hi'n byta cnau hallt ond dyw hi ddim wedi cynnig dim i ti wath mae hi'n gwbod nad wyt ti'n eu lico nhw.

Y llen yn agor a'r ffilm yn dechrau. Y gerddoriaeth, y cymeriadau gwirion, y lliwiau, Terry Thomas, i gyd yn dy lihci di'n llwyr. Nes i ti sylwi bod Siân yn crio. Ti'n gallu gweld lliwiau a golau'r sgrîn yn dawnsio ar y dagrau ar ei gruddiau hi. Ti ddim yn gwbod beth i'w neud. Mae hi'n wylo'n dawel ac yn trio cuddio'i bod hi'n llefain. Mae'n gwisgo'r sbectol haul o hyd sy'n beth twp i neud mewn lle tywyll. Mae hi wedi stopio byta'r cnau. Aeth y ferch 'da'r hufen iâ heibio ond wedest ti ddim gair rhag ofn dangos i Siân dy fod ti wedi'i gweld hi'n crio. Ti'n jocan dy fod ti'n dishgwl ar y ffilm drwy'r amser. Ond, a gweud y gwir, ti wedi colli stori'r ffilm i gyd, on'd wyt ti?

Pan ddowch chi mas i'r golau dydd dwyt ti ddim yn gallu agor dy lygaid am sbel ac mae pen tost 'da ti.

Wnest ti joio'r ffilm 'na?

Do.

Awn ni eto 'e'fo'n hir. Wyt ti'n cofio mynd i weld *Bambi* yn yr hen Park Cinema?

Otw.

Be wyt ti'n ei gofio 'te? Dim ond petair o'd o't ti ar y pryd.

Dwi'n cofio Thumper, a dwi'n cofio Bambi yn cwmpo lawr ar yr iâ a dwi'n cofio tad mawr Bambi…

Oreit, oreit. Ti'n cofio popeth on'd wyt ti.

Yna mae Siân yn sefyll a sychu'r minlliw oddi ar ei gwefusau gyda'i nisied a dodi'r sbectol haul yn y bag a gawsai hi o A G Meek yng Nghaerdydd amser 'nôl. The matching's unique at A G Meek. Mae'n hen ffasiwn nawr. Mae'i llygaid yn goch, 'maid bach, ond dyw hi ddim yn crio nawr.

Ow, mae'n liced i'n brifo ar ôl y tywyllwch 'na. 'Na fe, meddai gan dowlu'r nisied i ffwrdd, paid â gweud wrth Mami, cofia.

Un noson rwyt ti'n gorwedd yn dy wely, yn ffaelu cysgu.
Yn sytyn mae ofn yn gafael amdanat ti gyda breichiau
mawr blewog. Dwyt ti ddim yn gallu symud i dynnu'r
cynfas dros dy ben hyd yn oed. Ti'n gallu clywed dy dad a
dy fam yn siarad lawr llawr, sŵn y teledu yn y cefndir.
Lleisiau dy rieni 'yn nhw ond rwyt ti'n gallu'u gweld
nhw'n eistedd bob ochr i'r lle tân yn gwylio *Alfred
Hitchcock Presents* ond nace dy dad a dy fam 'yn nhw; mae
wynebau gorila 'da nhw ond maen nhw'n gwisgo dillad
Dad a Mam. Ti'n eu gweld nhw'n glir, ti'n gallu gweld
pawen y gorila-dad yn gorffwys ar fraich y gadair
esmwyth, ti'n gallu gweld wyneb blewog y gorila-fam a'i
ffroenau llydan agored; mae hi'n pigo'i thrwyn gyda'i bys
mawr blewog, yr ewin yn ddu. Ar y ford fechan wrth
ochr y teledu, yn gorwedd dros y cylchgronau a'r papurau
– y *Radio Times, Daily Mirror, Y Cymro, Woman's Own,
Western Mail, Beano* – mae menig a masgiau Mam a Dad.
Ti'n gallu gweld modrwy our seml dy fam ar un o fysedd
un o'r menig a ti'n gallu gweld wynebau dy rieni'n llipa
ac yn blygion i gyd, y ddafaden fechan ar fraich chwith
Mam, y marc coch ar bont trwyn Dad lle mae'i sbectol yn
pwyso. Ond y gorila-dad sy'n gwisgo'r sbectol nawr er
mwyn gwylio'r teledu. Mae'n eistedd yno'n edrych ar y
sgrîn yn y llwydwyll gwibiog glas ac yn ymddwyn yn
union fel dy rieni. Ond bwystfilod ydyn nhw, angenfilod.
Maen nhw'n sibrwd i ddechrau ond bob yn dipyn maen
nhw'n codi'u lleisiau ac yn siarad yn uwch ac yn uwch
nes eu bod nhw'n gweiddi ar ei gilydd, ond alli di ddim
clywed beth maen nhw'n ei weud, mor gas wrth ei gilydd
ydyn nhw; dwyt ti ddim yn deall eu geiriau. Ebychiadau
anifeilaidd, rhochiadau ffiaidd a diystyr ydyn nhw.

Rhaid i ti orfodi dy freichiau i'th godi di ar dy eistedd yn dy wely. Ti'n mynd i alw ar Siân ond mae dy lwnc di'n sych fel sglodyn o bren. Yn y tywyllwch mae dirfawr ofn arnat ti. Taset ti'n gweiddi ar Siân falle basa un o'r epaod yn dod lan y grisiau. Rhaid i ti fynd i mewn i'w stafell hi a'i deffro hi. Ond cymer ofal, dwyt ti ddim eisiau denu sylw'r myncwn 'na, nag wyt ti? Rwyt ti'n cynnau'r golau ar erchwyn y gwely – ci bech â'i bawennau i fyny a'r golau ar ei ben. Tasa ci 'da ti 'set ti ddim ar dy ben dy hun a 'set ti ddim yn teimlo cymaint o ofon. Dyw dy fam ddim yn fodlon i ti gael ci i fod yn ffrind i ti ac i edrych ar d'ôl di. A nawr ti'n gwbod pam – achos mae hi'n gorila go-iawn.

Ti'n mynd ar hyd y landin yn dawel bech yn y tywyllwch, gam wrth gam, ar flaenau dy draed rhag ofon i'r myncwn mawr dy glywed di yn symud fesul modfedd tuag at ddrws Siân. Mae dy law ar y bwlyn pan wyt ti'n gweld llun ohoni yn gorwedd yn ei gwely, ond nace hi sydd yno ond corryn anferth sydd yn ei lle ac wyth coes fawr flewog, fwaog 'da hi neu 'da fe, a nifer o lygaid mawr whyddedig – fel un o'r corynnod enfawr 'na yn *Quatermass*. Ar y llawr wrth ochr y gwely lle mae'r corryn yn cysgu mae côt o gnawd dynol yn gorwedd yn rhychau ac yn blygion i gyd, ond rwyt ti'n gallu gweld taw corff Siân dy wh'er yw e. Mae'n amlwg i ti nawr taw dim ond epaod wedi'u gwisgo fel pobol yw dy rieni a dim ond hen gorryn hyll mewn gwisg o gnawd yw dy wh'er.

Ti'n crynu ac yn pallu symud, ti'n whysu'n o'r, a heb yn wybod i ti bron rwyt ti'n dechrau crio. Mae rhwpeth yn dod lan y grisiau, rhwpeth mawr blewog a du 'da llygaid coch, yn symud wrth ei bwysau ac yn ceisio

rheoli'i anadl trwm ac yn trio bod yn ddistaw. Ti'n troi dy
ben yn ara ara bach gan ddishgwl gweld yr anghenfil. Dy
dad sy 'na. A ti'n gwlychu dy beijamas. Twt, twt! Rhag
dy gywilydd di, y babi mawr.

Uffern yw'r ysgol. Rwyt ti'n casáu'r ysgol 'da chas
perffaith. Casáu'r athrawon, casáu'r stafelloedd diaddurn
a'r ffenestri uchel a'r coridorau hir tywyll fel tu fewn i
ymysgaroedd nadroedd, casáu'r bwrdd du bondigrybwyll
pan fo'r sialc yn gwichian arno. Rwyt ti'n casáu'r llaeth
rwyt ti'n cael dy orfodi i'w yfed – mae'n codi pwys arnat
ti, casáu'r gansen a'r dap, casáu'r merched wath d'yn nhw
ddim yn gallu cael y gansen na'r dap sdim ots pa mor
ddrwg 'yn nhw, dim ond y bechgyn, ac rwyt ti wedi cael
y gansen a'r dap sawl gwaith am neud dim byd, a'r riwler
dros dy law gan Miss Corncrofft. Ti'n casáu'r pysgod our,
John, Paul, George a Ringo, achos mae pawb arall yn
dwlu arnyn nhw yn stafell Mr Thomas a ti'n gobeithio y
byddan nhw'n marw ill pedwar. Ti'n casáu'r plant eraill, y
merched, ond yn bennaf ti'n casáu'r bechgyn, ac yn
enwetig y bechgyn yn yr iard. Ti'n casáu'r iard sy'n
darmac caled du a ti'n casáu'r amser chwarae. Does neb yn
whara 'da ti. Dwyt ti ddim yn moyn whara 'da'r bechgyn
wath 'na gyd maen nhw'n neud yw cico pêl ar hyd yr
iard. Ti'n lico ambell un o'r merched a licet ti whara 'da
nhw ond 'set ti'n neud hynny 'sa'r bechgyn yn d'alw di'n
sisi. Maen nhw'n d'alw di'n sisi ta beth ond 'set ti'n whara
'da'r merched bob dydd 'sa dy fywyd ddim gwerth ei fyw.
Felly ti'n sefyll mewn cornel ac yn osgoi'r bêl ac yn
gobeithio na fydd neb yn sylwi arnat ti. Weithiau, amser

chwarae, ti moyn crio ac yn gallu teimlo'r dagrau yn ffurfio'n drwm y tu ôl i'th lygaid ac yn brifo dy lwnc fel pisyn o lo. Ond 'set ti'n dechrau crio basa pawb yn neud hwyl am dy ben, y bechgyn a'r merched fel ei gilydd.

Smo'r bechgyn wedi maddau i ti ers i'r ffilm *Zulu* gael ei dangos ar y teledu un noson a phawb yn moyn whara *Zulu* yn yr iard y diwrnod wedyn. Rheng o fechgyn yn sefyll ar un pen i'r iard a rheng arall yn sefyll ben arall yn wynebu'i gilydd ac yn bloeddio ŵ-ŵ-ŵ! fel y Swlws yn y ffilm. Mae pawb yn Swlws ac yn jocan cario gwaywffyn; does 'na ddim milwyr Prydeinig yn eu cotiau cochion yn iard yr ysgol, yn wahanol i'r ffilm, dim ond Swlws gwyllt. Yna, yn sytyn, maen nhw'n rhuthro ar ei gilydd ac yn lladd ei gilydd. Ond sefyll o'r neilltu wnest ti, er bod prin fodfedd o'r iard yn saff. Ond doedd hynny ddim yn iawn, nag oedd? Doedd hi ddim yn dderbyniol i ti sefyll o'r neilltu. Roedd pawb i fod yn Swlw ac i gael ei ladd. Ond gwrthod whara nest ti. Y cachgi. Byth oddi ar hynny ti wedi bod yn sisi.

Yna daeth pêl-droed Cwpan y Byd a phawb yn dwlu ar World Cup Willy, y llew bech. Gwnaeth Mr Phillips gystadleuaeth i'r dosbarth. Rhoes dîm o bob un o'r gwledydd i bob un yn y dosbarth ac roedd pawb i fod i ddilyn y gemau a chofnodi'r gôl a dilyn ei dîm. Pwy bynnag fyddai'n cael y tîm buddugol yn y diwedd fyddai'n cael swllt gan Mr Phillips ei hun. A pha dîm gest ti? Cest ti England ar y dechrau. Ond doeddet ti ddim yn moyn England am ryw reswm, felly fe newidiest ti gyda Paul a rhoi England iddo fe a chael ei West Germany ef yn ei le. A rhaid i ti gyfaddef roeddet ti wrth dy fodd yn dilyn y bencampwriaeth er doeddet ti ddim yn deall y ffwtbol ac roedd World Cup Willy yn mynd ar dy nerfau di, ond roedd West Germany yn bell ar y blaen i bawb arall ac yn amlwg yn mynd i guro pawb arall − o't ti'n siŵr o gael y swllt 'na. Yna, dyma England yn dal i fyny, a tua'r diwedd roedd pawb yn cefnogi England wrth i'r timau eraill gael eu bwrw mas. A dim ond ti oedd ar ôl â diddordeb yn West Germany. Gwyliest ti'r gêm ar y teledu gyda dy dad. Mor falch oedd e dy fod ti'n cymryd diddordeb yn y ffwtbol. Ond doedd e ddim yn deall pam roeddet ti mor siomedig pan gipiodd Lloegr y Cwpan. Nyni oedd Lloegr, meddai, ein tîm ni, nace Gorllewin yr Almaen.

Prin y gallet ti wynebu'r ysgol y diwrnod wedyn. Wrth gwrs, gwnaeth pawb hwyl ar dy ben di, y collwr, a chafodd Paul y swllt. Amser chwarae wetest ti doedd y gôl 'na ddim yn iawn. Peth twp i'w weud. A basa'r bechgyn wedi dy ladd di oni bai fod Mr Thomas wedi'u stopio nhw yn yr iard.

Dyna ddiwedd dy ddiddordeb di mewn pêl-droed.

Un bore, ar ôl noson anarferol o o'r, 'na le oedd John, Paul, George a Ringo yn arnofio ar wyneb y dŵr yn eu powlen yn stafell Mr Thomas, eu stumogau arian yn syllu tua'r nenfwd, wedi trigo ill pedwar. Mor falch oeddet ti. Ond wnest ti ddim dangos smic o wên. Whara teg i ti.

Y diwrnod o'r blaen dyma ti'n trio profi sut mae'n teimlo i fod yn farw. Caeest ti dy lygaid yn dynn a thrio peidio â meddwl am ddim byd o gwbwl. Ond allet ti ddim. Roedd rhyw syniadau yn dod i'th feddwl o hyd ac o hyd. A phan 'ych chi'n farw gorn yn y bedd d'ych chi ddim yn gallu clywed ac roeddet ti yn gallu clywed. Ta beth, roeddet ti'n gwbod dy fod ti'n meddwl dy fod ti'n peidio â meddwl. Ac roeddet ti'n ffaelu peidio â meddwl hyd yn oed am gwpwl o eiliadau. Chi'n marw am byth am dragwyddoldeb, yn oesoesoedd amen. Mae'n mynd ymlaen ac ymlaen, does dim diwedd iddo, chi'n ffaelu codi ac agor eich llygaid byth eto. Rwyt ti'n ofni marw. Ti'n ofni mynd i gysgu rhag ofon i ti ffaelu cwnnu yn y bore. Ti ddim eisiau marw. Ond maen nhw newydd drawsblannu calon dyn i ddyn arall, felly ti'n siŵr erbyn dy fod di'n chwe deg neu rwpeth y bydden nhw wedi meddwl am ffordd o wella pawb o farwolaeth.

Ti'n mynd i weld Mam-gu. Mae teulu dy fam-gu yn peri penbleth i ti wath mae 'na gynifer ohonyn nhw – antis, wncwls, bopas a chefndyr a chnithderod. Mae teulu dy fam i gyd yn wilia Cwmrêg bob amser – gwahanol i rai o deulu dy dad. Mae wh'er 'da Mam-gu, sef Bopa Annie May. Mae'r ddwy yn hen iawn. Rwyt ti'n dalach na Mam-gu yn barod. Mae hi'n gwisgo hen hen ddillad du hen ffasiwn iawn ac yn gwisgo'i gwallt mewn cocyn bech crwn ar gefn ei phen. Dyw hi ddim yn gallu wilia llawer o Sisneg. Er ei bod dros ei phedwar ucian does dim un blewyn gwyn yn ei gwallt a dyw hi ddim yn lliwio'i gwallt o gwbwl. Mae'n hollol naturiol, yn ôl dy fam. Dyw hi ddim yn gwisgo colur chwaith – hawdd gweld hynny achos mae'i hwyneb yn rhychau ar rychau. Mae hi'n dwt ac yn dyner ac yn addfwyn a gallet ti'i byta hi.

Mae'r dynion i gyd yn eistedd yn y rwm genol lle mae 'na luniau mowr tywyll o hen fenyw'n gwisgo dillad du tebyg i ddillad Mam-gu a hen ddyn mewn dillad hen ffasiwn a barf fawr wen fel gwlân o amgylch ei wyneb a thros ei wasgod lawr at y gadwyn our dros ei stumog. Mam a thad Mam-gu ydyn nhw. Mae'r dynion yn smygu sigarennau, ar wahân i Wncwl Tomi sy'n smygu cetyn drewllyd – ac mae'r geiriau'n chwyrlïo yn yr awyr yn gymysg â'r cymylau o fwg llwytlas uwchlaw eu pennau moel.

Mae'r menwod yn eistedd yn y gecin yn cloncian a'r llestri'n clincian o flaen y lle tân 'da'r ffendar pres a'r cŵn tsieina oren a gwyn ar bob pen i'r silff ben tân yn gwrando arnyn nhw.

Rwyt ti'n gwrando arnyn nhw hefyd; mae'n llawer mwy diddorol i fod yn y gecin 'da'r menwod nag yn y rwm genol 'da'r dynion. Rwyt ti'n clywed dy fam yn gweud merch dylsai fe fod. Peth rwyt ti wedi'i chlywed hi'n ei weud sawl gwaith o'r blaen pan mae hi'n meddwl nad wyt ti'n gwrando.

Ond mae'n ddiwrnod braf a ti'n gorfod mynd mas i'r cefn i whara 'da Peter a Mair a Manon a Hywel, dy gefndyr. Plentyn bech yw Peter. Mae Manon a Mair yn efillod yr un oed â ti. Ond mae Hywel newydd adael yr ysgol a dechrau gweithio yn yr un ffatri â dy dad ac mae fe wedi gweud wrth Dad ei fod e'n mynd i gadw'i arian i brynu motor-beic. Mae'n amser ers i ti'i weld e ac mae e wedi tyfu a dechrau siafo a'i lais wedi mynd yn ddwfn; mae'n dod o waelod ei sgidiau pan fo'n siarad. Mae'r plant

yn whara 'dag e ar y borfa. Mae fe'n gorwedd ar ei hyd ar
y llawr ac mae'r rhai bech yn dringo drosto fel myncwn ac
yn ei bwnio ac yn neidio arno, bron, ac mae fe'n
wherthin. Dwyt ti ddim eisiau plant yn dy bwnio di pan
fyddi di'n un ar bymtheg oed.

Yna, yn sytyn, mae Hywel yn sefyll lan ac yn torsythu,
yn estyn ei freichiau i'w llawn hyd uwch ei ben. Mae
ysgwyddau llydan 'dag e a chefn cryf. Rwyt ti'n gallu
gweld cyhyrau'i gorff trwy'i grys gwyn yn yr houl. Ond
paid â dishgwl arno fe'n rhy hir. Ti'n teimlo'n swil. Mae'n
galw'i gi ato, Sheba, gast ddefaid fach ddu a gwyn gyda
llygaid brown a chwt fel pluen. Mae hi'n gwylio popeth
mae Hywel yn ei neud ac yn gwrando ar bob gair. Mae
Hywel yn gweud cer! wrthi ac mae hi'n rheteg i ganol y
cae, nes i Hywel weud stop! yna mae hi'n troi i ddishgwl
arno fe. Pan mae'n gweud y gair i orwedd mae hi'n
gorwedd, eistedd ac mae hi'n eistedd, sefyll a hithau'n
sefyll. Yna, mae fe'n ei galw hi'n ôl ac mae hi'n rheteg at
goesau Hywel ac yn syllu lan i'w wyneb llyfn, ar ei groen
gwyn a'i aeliau a'i wallt du, yn ei addoli gyda'i chlustiau
a'i llygaid. Yna, mae fe'n gweud heel! ac mae Sheba'n
rheteg rownd y tu ôl iddo fe ac yn eistedd wrth ochr ei
goes whith yn dynn wrth ei sawdl. Good girl! meddai
Hywel wrthi a hithau'n neidio lan ar y gair a Hywel yn ei
dal hi yn ei freichiau a hithau'n llyfu'i ruddiau nes eu bod
yn binc, gan siglo'i chwt drwy'r amser. Mae Sheba yn
neud popeth mae Hywel yn gofyn; mae fe'n tawlu pêl ac
yn gweiddi fetch! ac mae Sheba'n dod â hi'n ôl ato ac yn
eistedd wrth draed ei meistr. Mae'n tawlu pisyn o bren a
Sheba'n dod ag e'n ôl yn ei cheg, ac yn aros nes bod
Hywel yn gweud give! ac yn ei gymryd yn dyner o'i
cheg, heel! eto ac aiff yn ôl i eistedd ar bwys ei goes.

Good girl! ac mae hi'n neidio lan eto. Yna, mae Hywel
yn troi'i ben ac yn dishgwl arnat ti. Wedyn, mae'n
d'anwybyddu ac yn cario 'mlaen i whara 'da'r ci a'r plant.

Un bore rwyt ti'n dihuno'n gynnar. Dy lwnc yn sych fel
carped. Rwyt ti'n cwnnu ac yn mynd i'r stafell ymolchi i
gael diferyn o ddŵr o'r. Wrth i ti basio stafell Siân rwyt
ti'n gweld bod y drws yn gilagored, ac yn sefyll yno gan
gribo'i gwallt, ei phen wedi'i blygu lawr, dyna Siân yn
noethlymun. Dyw hi ddim wedi dy weld di. Wrth iddi
godi'i breichiau i ddal ei gwallt yn ôl i'w gribo rwyt ti'n
gallu gweld blew du dan ei cheseiliau. Rwyt ti'n gweld ei
bronnau noeth a'r cylchoedd mawr tywyllbinc o gwmpas
ei thethau a thriongl o flew trwchus ar waelod ei stumog,
rhwng ei choesau. Dim cwt. Llithri di yn ôl i'th stafell cyn
iddi sylweddoli dy fod ti yno. Ei di ddim i gael y dŵr;
anghofia amdano. Rwyt ti'n mynd i gwato yn dy wely lle
mae'n dwym hyfryd ar ôl i ti fod yn sefyll ar y landin o'r.
Ond ti ddim yn gallu clirio'r llun o gorff dy chwaer o'th
feddwl. Dyma'r tro cyntaf i ti'i gweld hi heb ei dillad, hyd
y cofi di, a dyma'r tro cyntaf i ti weld unrhyw gorff
noeth, ar wahân i'th gorff ych-a-fi di. Roedd hi'n
annisgwyl ac yn wahanol i'r hyn o't ti wedi meddwl.
Doeddet ti ddim yn dishgwl yr holl flew. Rwyt ti'n
teimlo'n ofnadw. Cywilydd. Ac amser brecwast ti'n cael
trafferth i ymddwyn yn naturiol. Alli di ddim dishgwl ar
Siân rhag ofn i ti gochi. Alli di ddim dishgwl ar dy fam
chwaith. Mae dy dad wedi mynd i'w waith, diolch i'r
drefn. Rwyt ti'n siŵr eu bod nhw'n gwpod. Maen nhw'n
gallu darllen dy feddwl di.

Be sy'n bod? Ti'n dawel bore 'ma. Ti'n iawn?

Otw, wi'n iawn.

Ond dwyt ti ddim yn iawn. Ti'n wahanol a ti wedi cael rhwpeth tebyg i sioc.

Paul yw'r unig fachgen sy'n mynd i'th ysgol di sydd hefyd yn mynd i'r capel ac i'r Ysgol Sul. Mae 'na fachgen mawr, un ar bymtheg o'd, sy'n mynd i'r ysgol ramadeg. Ewan yw ei enw iawn ond mae Paul yn ei alw yn Egwan wath mae fe'n wan ac mae gwallt coch 'dag e ac mae 'dag e olwg egwan ac mae'n gorfod gwisgo sbectol drwm. Flynyddau 'nôl hefyd roedd e'n darllen darn o'r Beibl yn yr Ysgol Sul oedd yn sôn am lygaid egwan a dyna le cafodd Paul y gair egwan a'i ddodi ar Ewan fel llysenw. Mae Egwan yn gwbod popeth ac mae fe'n sgrifennu cerddi ac mae fe'n gallu whara'r fiolin. Mae'i deulu i gyd yn dod i'r capel, ei fam a'i dad a'i fam-gu. Ar ôl Aberfan sgrifennodd Egwan gerdd am y plant yn cael eu claddu dan domen o bridd a darllenodd ei fam-gu'r penillion yn y festri ond daeth dagrau i'w llygaid ac roedd hi'n ffaelu darllen y darn hyd y diwedd.

Ar ôl Aberfan dychmygest ti fod tomen o bridd du wedi llithro dros d'ysgol di. A dyma ti'n trio meddwl sut oedd hi'n teimlo i farw fel y plant 'na gafodd eu claddu pan symudodd y domen a llinci'r ysgol. Ond allet ti ddim. Cwato dan un o'r desgiau nest ti a chael d'achub fel rhai o'r plant lwcus ac wedyn roeddet ti'n arwr a doedd dim ysgol a dim athrawon a dim plant. Neu rwyt ti'n dychmygu dy fod ti wedi gwrthod mynd i'r ysgol y bore hwnnw wath roedd 'da ti boen yn dy fol ac mae'r domen slag yn symud ac yn llifo dros yr ysgol a'r iard ac yn lladd Mr Phillips a Dap a Mr Thomas a Miss Corncrofft ac yn claddu'r ysgol a'r plant eraill i gyd. Roeddet ti'n teimlo'n hapus on'd oeddet ti? 'Na deimlad braf oedd hynny. Yn anffodus does dim un domen slag yn agos at d'ysgol di a dim gobaith iddi gael ei chladdu.

Mae Egwan yn ateb cwestiynau Bopa Menna sy'n dy gymryd di a'r plant eraill yn yr Ysgol Sul, ac mae fe'n darllen storïau'r Beibl a darnau mas o'r cylchgronau Cymraeg *Mynd* ac *Antur* ac yn byhafio – yn wahanol i Paul a tithau. Hefyd mae Egwan yn siarad Cymraeg 'da Bopa Menna ond dyw Paul na tithau ddim wath dyw'r merched Cheryl a Carol a Rita ddim yn siarad Cymraeg o gwbwl. Mae rhyw gythraul yn dy feddiannu yn yr Ysgol Sul. Mae Bopa Menna yn trio siarad Cymraeg 'da Egwan, fel y plant yn *Antur* a *Mynd*, a Sisneg 'da phawb arall ac mae hi'n mynd yn flin wath d'ych chi ddim yn gryndo, 'ych chi'n pwffian wherthin ac yn gofyn cwestiynau twp fel sut oedd Methiwselah yn gallu bod yn 969 o'd, o ble daeth gwragedd Cain a Seth, pan gafodd gwraig Lot ei throi'n golofn halen o'ch chi'n gallu'i siglo 'ddi ar eich tsips, oti angylion yn ddynion neu'n ferched? A r'yn ni'n tynnu plethi hir Cheryl.

Mae dy fam sy'n eistedd 'da'r bobol mewn oed yn dishgwl draw ac yn gwgu arnat ti.

Pam wyt ti'n neud y pethau hyn? Ti'n fachgen da gan amla. Mae Paul yn gweud wrthot ti i'w neud nhw. 'Sa Paul ddim yn dod 'set ti'n byhafio'n iawn.

'Sa Paul yn gweu'tho ti i ddoti dy fys yn y tên 'set ti'n ci neud e?

Mae'n debyg y baset ti. Baset ti'n neud unrhyw beth i fod yn debyg i Paul a ddim yn debyg i Egwan − er taw tebycach i hwnnw nag i Paul wyt ti a gweud y gwir. Mae Paul yn fachgen go-iawn heb iddo orfod whara rygbi a phêl-droed a soldiwrs drwy'r amser, a does neb yn ei alw fe'n sisi. Mae pawb yn ei lico fe, mae fe'n hwyl ac mae hyder 'dag e. Ac mae'n fachgen drwg hefyd ac mae fe'n dy gael di i drwbwl yn y Capel o hyd. Liciet ti fod yn debycach i Paul wath mae fe'n debycach i bawb arall. Ond y gwir amdani yw dy fod di'n debycach i Egwan ac yn teimlo'n debycach i Cheryl neu Carol neu Rita. Ti'n lico'u gwallt hir, eu plethi a'u rubanau, eu ffrogiau a'u sgidiau a'r ffordd maen nhw'n eistedd yn dawel ac yn gryndo ar Bopa Menna, er eu bod nhw'n meddwl bod y storïau'n dwp a bod yr Ysgol Sul yn ddiflas a bod *Mynd* ac *Antur* yn hen ffasiwn. Ti ddim eisiau bod yn ddrwg o gwbwl. Ti jyst eisiau bod fel pawb arall.

Rwyt ti'n dwlu ar *Dr Who*. Mae'r miwsig yn dechrau'n wych a'r daleks yn gweud, exterminate! exterminate! Ond dwyt ti ddim yn moyn siwt dalek fel sydd 'da rhai o'r bechgyn yn y stryd; mae'n blentynnaidd. Wedi gweud hynny mae 'da ti rai daleks bach bach sy'n rheteg ar beli metal. Chi'n gallu'u pyrnu nhw yn Woolworth's. Dwyt ti ddim wedi'u dwyn nhw, nag wyt ti? Ti wedi pyrnu'r rhan fwyaf ohonyn nhw 'dag arian poced, whara teg. Ti wedi bod yn gall ac wedi pyrnu criw o'r rhai llwyd a dim ond ambell un coch ac un du yn gwmws fel ar y teledu − er eu bod nhw i gyd yn dishgwl yn llwyd ar y teledu, ac eithrio'r un du.

Ond mae *Dr Who* ymlaen ar ddydd Satwrn ac mae dy dad a mam yn gorfod mynd i siopa bob dydd Satwrn, pwy a ŵyr pam, i Bonty neu i Gastell Nedd ac weithiau i Abertawe neu i Gaerdydd. Rwyt ti'n lico mynd i Gaerdydd neu Abertawe ond does 'da ti gynnig i Gastell Nedd a Ponty. Ac weithiau r'ych chi'n dod 'nôl yn ddiweddar ac yn colli'r dechrau gyda'r miwsig ffantastig a'r blobiau gwyn yn mynd mewn a mas ac yn newid siâp. Rwyt ti wedi crefu arnyn nhw, plîs plîs, plîs ga i sefyll yn nhre yn lle mynd i Bonty neu Nîth a cholli dechrau *Dr Who* wath ti wedi bod yn dilyn y gyfres o'r episôd cynta gyda'r bobol yn byw mewn ogofâu a ddechreuodd pan gafodd Mr Kennedy ei saethu yn Niw Iorc. Ond roedden nhw'n pallu gryndo arnat ti ar y dechrau. Na, ti'n rhy ifenc i fod yn y tŷ ar dy ben dy hun, medden nhw. Ond yn ddiweddar nethon nhw ildio. Ti'n gorfod mynd gyda nhw i Abertawe neu i Gaerdydd ond ddim i Bonty nac i Nîth. Sy'n dwp yn dy farn di wath dwyt ti byth yn colli dechrau *Dr Who* ar ôl i ti fod ym Mhonty neu Nîth, wath dyw'r llefydd yna ddim yn bell iawn. Colli'r dechrau ar ôl bod yn Abertawe fyddet ti, fel arfer, ac weithiau ar ôl bod yng Nghaerdydd. Ond sdim ots, wath rwyt ti'n cael y tŷ i ti dy hun pan fo dy dad a dy fam yn mynd i Bonty a Chastell Nedd a phan fo Siân yn gweithio yn y Cop ar y Satwrn. Mae'n fesur o ryddid ac o annibyniaeth.

Cofia, byhafia. Paid â mynd lan lofft, meddai dy fam bob tro yn ddi-ffael cyn iddyn nhw d'adael di.

Byhafiest ti y tro cyntaf. A'r ail dro. A'r trydydd. Yna, dro yn ôl, mae'n anodd gweud pa un, mentrest ti lan lofft ac agor wardrob Siân. Dyna lle roedd y ffrog gyda'r rhosynnod porffor arni yng ngwaelod y wardrob, 'da moth balls arni – gwyntai fel cadnoid bach Miss Lloyd – yn fwndel mawr o blygion, a haenau o lês glas golau oedd y bais. Chymerest ti ddim sylw o'i ffrogiau a'i dillad eraill, dim ond y ffrog borffor oedd yn denu dy lygaid. Dim ond dishgwl nest ti'r tro hwnnw a rheteg lawr y grisiau i wylio'r teledu, rhag ofn i ti gael dy ddal.

Wedyn, dyna ti'n aros am y tro nesa iddyn nhw fynd i Bonty. Ond, d'yn nhw ddim yn mynd, byth. Caerdydd – a tithau'n gorfod mynd gyda nhw – Abertawe – a tithau gyda nhw – Abertawe eto, Castell Nedd – a tithau'n cael dy orfodi i fynd eto (er doedd hynny ddim yn rhan o'r cytundeb, nag oedd e?), er mwyn pyrnu pâr o sgidiau newydd. Ac fel'na y llithrodd yr wythnosau heibio. Maen nhw'n siŵr o fynd i Bonty y tro nesa. Ond, na; Abertawe yw hi eto.

Yna, o'r diwedd, mae dy gyfle'n dod. Maen nhw'n mynd i Bontypridd. Dwyt ti ddim yn mynd gyda nhw. Byhafia, cofia, paid-â-mynd-lan-lofft. Maen nhw'n cau'r drws ac yn mynd. Dyma ti'n rheteg lan stâr yn syth. Ond mae'r drws ffrynt yn agor. Dy dad yn dod 'nôl, wedi anghofio rhwpeth. Diolch i'r drefn dyw e ddim yn mynd i'r rwm genol, lle dylset ti fod, dim ond i'r gecin gefn a dyw e ddim yn sylwi taw lan lofft gwaharddedig wyt ti.

Ar ôl iddo weiddi, 'Ta ta, ni'n mynd nawr!' rwyt ti'n rheteg lawr ac yn mynd i eistedd o flaen y teledu – dy galon yn corddi gan euogrwydd nes iddyn nhw ddod 'nôl o Bonty, wedi cael gormod o fraw i neud beth roeddet ti wedi meddwl neud. Bu'n rhaid i ti aros wythnosau am gyfle arall. Ond yn y diwedd fe ddaeth un. Y tro hwn rwyt ti'n aros nes iddyn nhw fynd drwy'r drws. Weitan a gryndo. Weitan nes i ti glywed y car yn mynd lan y stryd a weitan o hyd nes nad wyt ti'n gallu clywed dim. Yna rwyt ti'n rheteg i'r rwm ffrynt a dishgwl drwy'r ffenest i neud yn hollol siŵr eu bod nhw wedi mynd y tro hyn. Yna rwyt ti'n aros pum munud ar y cloc, er mwyn bod yn siŵr ei bod hi'n rhy ddiweddar iddyn nhw droi'n ôl wedi anghofio rhwpeth. Wedyn, a dim ond wedyn, rwyt ti'n mynd lan lofft.

Rwyt ti'n gweld dy hun yn y drych yn nrws y wardrob. Bachgen nerfus, euog. Yna, dyma ti'n agor y drws a thynnu'r bais mas a'i gwisgo dros dy drwser.

Yn sytyn, er nad oes amcan 'da ti pa mor chwerthinllyd yw d'olwg, rwyt ti'n teimlo'n hapus. Rwyt ti'n troi o gwmpas ac yn edrych ar dy hunan yn y drych hir yn nrws y wardrob. Mae iâr-fach-yr-haf o ansicrwydd yn setlo lawr yn dy du fewn. Er bod dy galon yn curo fel morthwl rwyt ti'n cael dy lenwi gan hapusrwydd. Serch hynny, rwyt ti'n ofni cael dy ddal o hyd. Beth sydd yn digwydd i ti? Teimlo'n nerfus wyt ti rhag ofn i dy dad, dy fam, neu Siân ddod 'nôl yn ddirybudd. Ond yn dy hunan dwyt ti ddim yn teimlo'n nerfus. Mae llais yn dy ben yn gweud wrthot ti y dylset ti deimlo'n od iawn gyda'r hen bais 'na o gwmpas dy wasg ond, i'r gwrthwyneb, am unwaith dyw pethau ddim yn teimlo'n rong o gwbwl. Rwyt ti'n gwisgo'r bais am ryw ddeng munud ac am bob eiliad ohonyn nhw tydi dy hun wyt ti.

Un diwrnod mae dy dad yn dod sha thre o'i waith ac mae'n amlwg i ti a Siân sy'n eistedd wrth y ford yn y gecin yn cael te ac i dy fam, sydd wedi bod yn erfyn dy dad ers hanner awr, fod rhwpeth yn bod arno fe.

Beth sy mater? mae dy fam yn gofyn.

Hywel, meddai dan deimlad, mae Hywel wedi c'el

damwain ar y moto-beic 'na. Cas e ei ddiwedd ar y rhewl wrth ddod mas o'r ffactri.

Dyw dy dad ddim yn llefain; mae fe'n ei reoli'i hunan ac yn eistedd ar un o'r cadeiriau a golwg guredig arno. Mae dy fam yn gorchuddio'i hwyneb 'da lliain sychu llestri ac yn beichio wylo. Yna, mae Siân yn dechrau crio hefyd.

Bytis mowr o'n ni, meddai dy dad, dim ots am y gwanieth oetran. Ac o'dd e'n browd ofnatw o'r beic 'na.

Sut yn y byd wi'n myn' i wynepu'i fam, meddai dy fam, ei hwyneb yn goch ac yn wlyb.

Mae Siân yn dodi'i braich am ysgwydd dy fam.

Paid, meddai dy fam wrthi, sdim eisiau hyn'na.

Ie, ie, bytis mowr, dy dad yn siarad ag ef ei hun.

Mae Siân a tithau'n wynebu'ch gilydd dros y ford, yn teimlo'n chwithig, heb syniad beth i'w weud.

A gweud y gwir, meddai dy dad gan dawlu'r cipolwg lleiaf i dy gyfeiriad di, yn anfwriadol mwy na thebyg, a gweud y gwir, o'dd e mwy fel meb i mi.

Angladd Hywel. Mae pawb yn mynd wedi'u gwisgo mewn du. Dy dad mewn siwt ddu, sgidiau du'n sgleinio, crys gwyn a thei du. Dy fam a Siân mewn du i gyd, a hetiau du.

Fyddi di'n iawn ar dy ben dy hun nawr, on' fyddi di?

Bydd, meddai dy dad gan ateb cwestiwn dy fam ar dy ran di. Whara teg i'r crwtyn, ni'n gwpod ni'n gallu trysto fe nawr.

Wi'n gwpod 'ny, meddai dy fam, ond smo ti'n myn' i fod yn unig?

Neg w.

Wel, mae fe'n rhy ifenc i ddod i'r yngladd ei hun, ontefe? So, sdim pwrpas iddo ddod i weld yr holl bobol 'na'n crio, neg o's, dim ond ei ypseto fe.

Naiff e ddim byta dim byd ar ôl yr yngladd, ta beth, meddai dy fam. Ti'n siŵr byddi di'n iawn ar dy ben dy hun y diwety 'ma?

Otw.

Dere ml'en nawr, dere, meddai dy dad.

Ac maen nhw'n gadael, ill tri yn eu dillad du.

Y drws yn cau. Sŵn y car yn cychwyn, farwm, frwmfrwm. Yn mynd lan y stryd. Pum munud hir o wylio'r cloc ar y silff-ben-tân. Rhag ofn. Yna, dyma ti'n rheteg lan lofft i stafell Siân a neud be rwyt ti wedi bod yn breuddwydio amdano ers wythnosau. Ti'n tynnu dy siwmper, dy grys, dy fest, sgidiau, trwser, dy drafers. Ac yna yn sefyll yno yn hollol noethlymun am funud, yn cymryd cipolwg ar dy gefn dros d'ysgwydd yn y drych. Y noethni yn dy syfrdanu di. Yna, ti'n tynnu'r ffrog mas a'r bais, yn tynnu honno lan dros dy goesau at dy wasg. Mae'n crafu dy groen, mae'r deunydd yn arw. Yn y drych rwyt ti'n gweld dy hunan yn hanner noeth nawr. Y bais las fel blodyn mawr â'i ben i lawr o amgylch dy ganol. Mae'r bais yn pigo. Ti'n tynnu'r ffrog lawr dros dy ben, yn dodi'th freichiau drwy'r tyllau. Alli di ddim tynnu'r sip yn y cefn. Sdim ots. Mae'r ffrog yn rhy fawr, ta beth. Mae'n hongian am dy gorff yn isel, bron yn cyffwrdd â'r llawr, d'ysgwyddau esgyrnog yn stico mas.

A dyna ti yn y drych. Yr hi-ti. Tydi. Ti'n ofni symud wath mae bod yn ferch yn brofiad rhyfedd iawn. Mae dy wallt di'n fyr fel bachgen. Ond gallet ti fod yn ferch.

Gwallt byr sydd 'da Twiggy a dim bronnau. Yr unig beth sy'n neud i ti fod yn fachgen yw'r cwt rhwng dy goesau. Rwyt ti'n cerdded sha thre o'r ysgol a phwy sy'n dod drwy glwydi'r ysgol ramadeg wrth i ti basio ond Egwan 'da'i lygaid mawr fel llyffant a'i wallt coch fel brws. Ac mae e'n cario cês du hir dan ei fraich dde.

Oi! Ble wyt ti'n mynd, was?

Wi'n mynd sha thre.

Wi'n myn' sha thre, meddai Egwan mewn llais bech gan dy ddynwared ti i'r dim. Nag 'yt ti, 'ngwas i, ti ddim yn mynd sha thre.

Mae fe'n d'wthio di'n ffyrnig yn erbyn y wal. Ti wastad yn cael dy ddal f'yma ar dy ffordd i'r ysgol neu ar dy ffordd sha thre, un ai gan fechgyn mawr d'ysgol di neu gan fechgyn yr ysgol ramadeg. Ac maen nhw wastad yn pigo arnat ti a sdim tai yn yr hewl na dim ceir yn pasio a neb gerllaw, fel arfer. Ond dyma'r tro cyntaf i ti gael dy ddal gan Egwan. Mae'n gwthio d'ysgwyddau yn erbyn y wal ac yn pwyso arnat ti. Mae'n fachgen mawr, trwm.

Licl basdad. Ti'n neud sbort ar 'y mhen i yn yr Ysgol Sul on'd 'yt ti? Ti a'r licl basdad arall 'na. Beth yw ei enw fa?

P... Ond mae Egwan yn dy daro di ar draws dy foch.

Ca dy ben. Smo ti mor ffît nawr ar dy ben dy hun, nag 'yt ti? Nag 'yt ti, licl basdad?

Ac mae fe'n gwthio'i ben-lin i mewn i'th geilliau yn galed sy'n rhoi lo's ofnadw i ti.

T wel y cês 'ma, on'd 'yt ti?

Otw. Mae'n rhoi clatsien i ti ar dy foch eto.

Paid â siarad! Ti 'mbod be sy yn y cês 'ma, nag 'yt ti? Gwn sy ynddo fa. Ac os wi'n gwel' ti ar y ffordd o'r ysgol 'to wi'n mynd i saethu di, reit? Reit, licl basdad?

Reit.

Reit be?

'Mbod. Mae'n dy daro di eto ond ti'n neud d'orau i gadw dy ddagrau mewn.

Reit, *Syr*.

Reit, Syr.

Reit Syr, plîs, Syr, thenciw!

Reit Syr, plîs Syr, thenciw.

Reit Syr, plîs, Syr, thenciw be?

Reit Syr, plîs Syr, thenciw Syr.

Dyna fe'n gadael i ti fynd. Ti'n rheteg sha thre ac am yr wythnosau nesa ti'n osgoi'r ffordd 'na. Rhag ofn i Egwan dy saethu di. Ti'n osgoi Egwan yn y Capel, hefyd. Ond unwaith yn yr Ysgol Sul sibrydodd yn dy glust,

Cofia'r gwn 'na, licl basdad.

Be wedodd Egwan wrthot ti nawr?

Paul oedd yn moyn gwbod ond wedest ti ddim.

Un bore yn yr asembli dywedodd y prifathro fod ymwelwyr o dramor yn dod i'r ysgol a bydden nhw'n galw yn rhai o'r dosbarthiadau i'ch gweld chi'n gweithio.

Un prynhawn yr wythnos hon dyma'r bobol 'ma'n cerdded i mewn i stafell Mr Phillips. Maen nhw'n bobol fawr, pobol dal ac maen nhw'n llenwi'r stafell. Maen nhw'n groenddu a'u croen yn wirioneddol ddu glas, bron. Dim ond un ferch groenddu sydd yn dy ysgol di – a chyn iddi ddod dywedodd Mr Davies y prifathro wrth bawb yn yr ysgol yn yr asembli yn y bore, If I hear of anyone that's been nasty to this girl or made fun of her I'll see them in my office. I. Will. Not. Tolerate. It! Diana yw ei henw – ond dyw ei chroen hi ddim mor dywyll â'r rhain. Ac mae gan y dynion farciau ar eu trwynau a'u gruddiau tebyg i greithiau. Maen nhw'n gwenu arnoch chi wrth sefyll gyda Mr Phillips o flaen y dosbarth. Mae'u dannedd yn disgleirio'n wyn yn eu hwynebau tywyll. Siwtiau mae'r dynion yn eu gwisgo. Ond dwyt ti erioed wedi gweld dim byd tebyg i ddillad y merched nac wedi dychmygu bod dillad tebyg i gael yn y byd i gyd. Mae twrbanau ar eu pennau o'r un deunydd â'r dillad sydd wedi'u lapio'n lathenni ar lathenni o ddeunydd llachar lliwgar am eu cyrff. Mae gwisg un o'r menwod yn orenau ac yn gochion ac yn felynau i gyd. Blodau ddwywaith cymaint â'r blodau porffor ar hen ffrog Siân yn y wardrob sydd ar wisg menyw arall, yn las ac yn borffor ac yn lliw coch tywyll. Mae'r stafell wedi'i goleuo gan y dillad ysblennydd a'r dannedd serennog hyn. Mor dywyll â di-liw yw d'ysgol a'th fyd di mewn cymhariaeth.

Mae Mr Phillips yn gofyn a oes unrhyw gwestiynau for our overseas visitors. Neb yn gweud dim. Rhy swil.

Wel, meddai Mr Phillips wrth yr ymwelwyr bonheddig, do you have any questions?

Yes, meddai un o'r dynion ifanc, ei wên fel hysbyseb pâst dannedd, I have a question. How do you tell these children apart? Ei law fawr ddu â'r gledr yn binc fel dy gledr di yn torri drwy'r awyr gan gyfeirio at bob plentyn yn y dosbarth mewn un ystum llyfn gosgeiddig. Yna mae'n dechrau chwerthin, ac mae Mr Phillips yn chwerthin ac yna mae'r ymwelwyr eraill, y dynion a'r menwod, yn chwerthin. Mae'r sŵn yn llenwi'r stafell gyda'r un haul â'u dillad, ac yn wahanol i Mr Phillips sydd ond yn chwerthin drwy'i geg, mae'r bobol hyn yn chwerthin drwy'u cegau a'u stumogau a thrwy eu cyrff i gyd, y sŵn hafaidd hapus yn atseinio drwy'r ystafell a thrwy'r ysgol. Ac mae'r plant i gyd yn cael eu meddiannu gan yr un pwl o chwerthin aflywodraethus.

Yna, mae'r ymwelwyr yn eu rheoli'u hunain eto.

I also have a question, meddai'r fenyw yn y dillad oren, do you speak Welsh?

Distawrwydd.

No, hardly any of these... dechreua Mr Phillips. Ond mae rhai o'r bechgyn yn dodi'u dwylo yn yr awyr. Mae dy galon yn suddo, wath rwyt ti'n gwbod beth sy'n dod on'd wyt?

Sir! Sir! medden nhw, Sir, Welshy speaks Welsh, Sir!

Beth am Rhian a Lynfa? sy'n mynd drwy dy feddwl di; pam fod rhaid iddyn nhw bigo arnat ti bob tro?

Oh, yes. This boy speaks a little Welsh. Come forward.

A dyna ti yn cael dy orfodi i fynd i sefyll o flaen pawb yn y dosbarth. Rwyt ti'n dod mor agos at y bobol newydd, gallet ti gyffwrdd â nhw. Maen nhw'n plygu'n nes atat ti. Ti'n gallu gweld y marciau ar wynebau'r dynion; mwclis a breichledi our a chlustdlysau'r menwod. Gallet ti gyffwrdd â'u dillad nhw ond rwyt ti'n rhy swil i fynd yn rhy agos.

Can you say something in Welsh for our visitors? gofynna Mr Phillips.

Does dim yn dod i'th feddwl. Dim gair.

Please, could you say something in Welsh to me? I would like to hear Welsh, meddai'r fenyw fawr oren.

Wrth gwrs y gallet ti. Ond beth? Beth bynnag y dywedi di bydd y bechgyn a rhai o'r merched yn neud hwyl am dy ben di ar ôl y dosbarth, amser chwarae. Gwell i ti beidio â gweud dim.

Go on, boy, meddai Phillips gan dy brocio di yn dy gefn yn ddiamynedd, say something for goodness' sake.

Mae'r bechgyn yn dechrau piffian chwerthin. Yn dy ddryswch a'th chwithdod ti'n gweud –

Cysgwch yn dawel.

Please? What does this mean? gofynna'r fenyw mewn llais tew fel siocled.

I think, meddai Phillips, it means sleep well. Go back to your seat, Twpsyn.

Sleep well! meddai'r ymwelwyr.

Maen nhw'n llenwi'r stafell gyda'u chwerthin eto. Ti ddim yn poeni am eu chwerthin nhw ond mae Phillips a'r holl blant yn chwerthin hefyd a ti'n gwbod dy fod ti'n mynd i'w chael hi ganddyn nhw ar ôl i'r bobol o dramor fynd.

Eleni, am y tro cyntaf, r'ych chi'n mynd ar eich gwyliau heb Siân. Mae hi'n gorfod gweithio. Rwyt ti'n eistedd yng nghefn y car yr holl ffordd i Gernyw ar dy ben dy hun ac mae'r sedd yn teimlo'n rhy lydan er dy fod ti'n gallu gorwedd ar dy hyd a mynd i gysgu. Does neb i siarad â ti, neb i whara ei-sbei a chanu 'Oes gafr eto?' ac 'In the quartermaster's stores'. Neb i ffraeo 'da ti. Mae'n cymryd oesoesoedd i gyrraedd hyd yn oed gyda'r bont fawr ysblennydd newydd yn lle'r hen fferis, *Prince*, *Princess*, *Duke*, *Duchess* ac yn y blaen. R'ych chi'n sefyll mewn *chalet*. Does dim teledu felly rwyt ti'n mynd i golli dwy bennod o *Dr Who*. Ond does dim athrawon, dim ysgol. Ond, yn anffodus, i ti, mae 'na blant yn y *chalets* eraill.

Ble bynnag yr ewch chi mae 'na siopau yn gwerthu picsis bach. Liciet ti byrnu un ond mae dy dad yn gweud, Paid â bod yn blentynnaidd, pethau i ferched 'yn nhw.

Hefyd mae 'na ffynhonnau lwcus ym mhob tre a phentre lle chi'n gallu tawlu ceiniog i mewn a gwneud dymuniad. Ac rwyt ti'n mynnu neud dymuniad bach tawel bob tro ti'n gweld ffynnon lwcus. Er nad wyt ti'n gweud wrth neb, dwi'n gwbod beth wyt ti'n ddymuno. Dymuno bod yn ferch wyt ti. Paid â thawlu d'arian i ffwrdd, meddai dy fam.

O'r diwedd rwyt ti wedi sylweddoli taw merch mewn corff bachgen wyt ti. Dyna beth sydd o'i le a dyna beth wyt ti'n gorfod ei gael yn iawn. Aeth rhwpeth yn rong yn rhywle a dwyt ti ddim yn gwbod beth i'w neud na sut i'w gael e'n iawn eto. Mae'r ceiniogau yn y ffynhonnau lwcus yn siŵr o weithio.

Ti'n siopa gyda Dad a Mam, yn mynd i gaffis gyda nhw, yn mynd am dro yn y wlad gyda nhw. Maen nhw'n iawn, ti'n joio dy hun ond basa hi'n well 'set ti'n gallu cadw dy wallt yn hir. Mae gwallt hir 'da rhai bechgyn nawr, fel y Beatles a'r Rolling Stones. Ond mae dy dad yn gweud allwch chi ddim gweud y gwanieth rhwng bechgyn a merched y dyddiau 'ma. Mae dy dad yn gwisgo *blazer* a chrysau llewys byr a thrwser lliw hufen. Mae dy fam yn gwisgo clustdlysau sy'n cydio yn ymyl ei chlustiau ac yn rhoi lo's iddi.

O leiaf dwyt ti ddim yn moyn doliau. Dwyt ti ddim yn lico teganau, nag wyt ti? 'Sa ci 'da ti nawr 'set ti'n

iawn. Ond mae dy dad a dy fam yn gweud yn bendant.
Dim ci. Dim gwallt hir. Ond dwyt ti ddim yn moyn ci
mowr. Ci bach wyt ti'n moyn. Hynny yw, un na fydd yn
tyfu'n fawr, fel pecinî neu pwdl. Ond 'set ti'n cael ci fel
'na 'sa'r bechgyn yn siŵr o neud hwyl am dy ben. Beth
bynnag 'yt ti'n neud mae rhywun yn siŵr o neud hwyl
am dy ben di. Os wyt ti ddim yn lico pêl-droed maen
nhw'n wherthin am dy ben di. Os wyt ti'n crio ar ôl i ti
gael anaf maen nhw'n wherthin am dy ben di. Os wyt ti'n
cael d'orfodi i fynd i'r capel maen nhw'n wherthin am dy
ben di. Os wyt ti'n siarad Cymraeg maen nhw'n wherthin
am dy ben di. Os wyt ti'n wherthin maen nhw'n
wherthin am dy ben di ar gorn y ffordd rwyt ti'n
wherthin. Haha, ti'n wherthin fel merch, laughs like a girl
he does. Ond ti'n lico'r ffordd mae Siân yn wherthin a
ti'n trio wherthin yn yr un ffordd â hi – yn ddwfn yng
nghefn ei llwnc, ei phen yn plygu 'nôl, ei gwallt yn
hongian dros ei hysgwyddau. Nid dy fod ti'n cael cyfle i
neud hynny'n aml iawn yn yr ysgol, nac yn y capel, nac ar
dy wyliau gyda Dad a Mam. Taset ti'n fachgen baset ti'n
ymuno yn yr hwyl a wherthin am ben pawb a phopeth
arall a gwneud hwyl ar gorn y Gymraeg, y capel, merched
a sisis bach. Neu taset ti'n ferch gallet ti wherthin am ben
y sisis, wath mae merched yn dy boeni di yn yr ysgol
cynddrwg â'r bechgyn. Mae pawb yn neud hwyl am ben
sisis.

Mae 'na siop yng nghanol y *chalets,* ac un bore mae dy dad
yn gofyn i ti fynd i byrnu pecyn o ffags twenty Embassy
tipped. Mae fe'n casglu'r cwpons. Rwyt ti'n mynd wath
mae'n rhwpeth i'w neud, ontefe. Fallai bydd e'n cael
rhwpeth i ti 'da'r cwpons; satsiel lledr, 'na beth wyt ti'n
moyn.

Mae 'na griw o fechgyn mawr yn y siop ac wrth dy
weld di maen nhw'n dechrau wherthin. Dwyt ti ddim
wedi'u gweld nhw o'r blaen, ond mae'n amlwg iddyn
nhw fod rhwpeth yn bod arnat ti. Dwyt ti ddim yn gorfod
agor dy geg na symud na neud dim byd ond maen nhw'n
gwbod dy fod ti'n ferch go-iawn. Ti'n teimlo lwmp o
ofon yn dod i'th lwnc ond ti'n benderfynol o beidio â
dangos iddyn nhw.

Yn sefyll o'th flaen yn y siop mae 'na ferch tua'r un
taldra â ti. Mae'i gwallt yn gyrliog ac yn felynaur ac mae
rubanau glas golau fel blodau ynddo ac mae hi'n gwisgo
sandalau jeli gwyrdd am ei thraed a dim sanau wath ti'n
gallu cerdded drwy'r dŵr gyda'r sandalau jeli 'na, a chrys-
T streipiog 'da llun angor arno a thrwser cwta gwyn. Mae
hi'n troi i ddishgwl arnat ti ac mae'i llygaid hi'n las golau
fel y rubanau. Mae hi'n hynod o bert. 'Taet ti'n ferch,
merch fel hon licet ti fod. Er, 'set ti ddim yn hitio bod yn
ferch salw hyd yn o'd, unrhyw fath o ferch. Ar ôl i ti gael
y ffags mae'r ferch 'ma'n gofyn mewn Sisneg twanglyd
beth yw d'enw di – peth na fyddet *ti* byth wedi'i neud. Ei
henw hi yw Patricia ond mae hi'n lico cael ei galw'n
Tricia sy'n enw hyfryd ei sŵn i'th glustiau di. How old
are you? Ten, nearly 'leven. That's the same as me,
meddai hi. Mae hi'n dangos y *chalet* lle mae hi'n sefyll
gyda'i mam a'i thad a'i brawd Len a'i chi Poppy. Rwyt

ti'n dangos eich *chalet* chi. Have you got a dog? No, I want one but they won't let me. Mae hi'n gaddo dod â Poppy i'w dangos i ti ar ôl te.

Yn sytyn r'ych chi'n ffrindiau ac yn cwrdd mor amal ag y gallech chi. Mae Tricia wastad yn llawn syniadau ac yn byrlymu siarad drwy'r amser. R'ych chi'n mynd am dro gyda'ch gilydd weithiau i'r traeth nad yw'n bell i ffwrdd ac weithiau ar hyd y lôn o amgylch y *chalets*. Ac mae'n neud synnwyr achos mae ci 'da chi a r'ych chi'n mynd â'r ci am dro – sydd yn gwbwl wahanol i fynd am dro gyda Dad a Mam i ddim pwrpas. R'ych chi'n gweld wynebau yn y coed ac yn whilio am bicsis yn y blodau a'r perthi. R'ych chi'n casglu cregyn a charegos a chrancod bach o'r traeth. Gwres yr haul ar eich wynebau a'ch breichiau, gwynt yr heli yn eich ffroenau, sŵn eich wherthin yn gymysg â stŵr y gwylanod a'r môr. Olion eich traed yn y tywod gwlyb yn rhengoedd o bedwar igam-ogam. Mae Tricia yn ffab, on'd yw hi? Hi yw dy ffrind cynta go-iawn. R'ych chi'n deall eich gilydd a dwyt ti ddim yn gorffod trio bod yn debyg iddi hi fel rwyt ti'n gorffod neud o hyd yng nghwmni Paul, wath rwyt ti'n debyg iddi'n barod, heb drio. Roeddech chi'n debyg i'ch gilydd cyn i chi gwrdd hyd yn o'd. Mae hi'n casáu pêl-droed; ti'n casáu pêl-droed; ti'n casáu'r ysgol; mae hi'n casáu'r ysgol. Mae hi'n ferch. Rwyt ti'n ferch.

Y broblem yw dy fod ti'n gorffod mynd 'da Dad a Mam ac mae Tricia'n gorffod mynd 'da'i thad a'i mam hithau weithiau. Ond r'ych chi'n trefnu cwrdd â'ch gilydd bob bore ac weti 'ny, yn y diwetydd ar ôl i chi fod i ffwrdd 'da'ch teuluoedd am y diwrnod, ar wahân.

Mae dy dad a dy fam yn mynd â ti i Gastell Tintagel. Drwy'r amser rwyt ti'n gobeithio bod tad a mam Tricia wedi cael yr un syniad. Rwyt ti'n erfyn ei gweld hi rownd pob cornel y tu ôl i bob wal a charreg. Ond, na, dim Tricia.

Be sy mater? O'n i'n meddwl 'set ti'n lico rhwpeth fel 'yn, meddai dy dad.

Pentwr o hen gerrig, meddet ti.

Meddwl o'dd e y baset ti'n lico'r lle oherwydd dy fod ti'n dwlu ar y cylchgrawn *Look and Learn* sydd â lluniau lliw ynddo o gestyll a hen adeiladau, weithiau, a chi'n gallu gweld trwy'r waliau a gweld pobol yn byw fel roedden nhw'n arfer byw slawer dydd. Ond allet ti ddim dychmygu pobol yn byw yn y lle diflas hwn o gwbwl. Mae hi mor o'r a'r waliau carreg mor foel. Ti'n cerdded ar hyd y lle a'th ddwylo yn dy bocedi, wedi llinci mul.

Ffab! R'ych chi'n mynd 'nôl i'r *chalet* yn gynnar oherwydd dy fod ti'n ormodd o miscrigyts, chwedl dy dad.

Ond, doedd Tricia ddim yn y gwersyll y noson honno.

Yn sytyn, mae'n ddiwrnod olaf eich gwyliau, ond mae Tricia a Poppy a tithau yn mynd lawr at y traeth. Mae hi'n gwisgo siwmper newydd cafodd ei mam iddi yn Marks a Spencers, wath mae'n weddol o'r; mae'n las tywyll, *navy*, a choch. Mae'n debyg i siwmper 'v' dros siwmper arall â gwddw uchel, ond un darn yw hi mewn gwirionedd. Mae Tricia'n falch iawn ohoni. My trick jumper, mae hi'n ei galw hi ac mae hi wedi'i gwisgo i'w dangos i ti achos bod ei mam wedi gweud bod ticyn o wynt o'r ynddi heddi. Hefyd mae'n gwisgo teits lêsi, gwyn. Mae hi wedi bod i weld y ffilm *Help!* deirgwaith gyda'i chnithder a'i wh'er a nath pawb yn y sinema sgrechian heb stopyd, meddai hi.

Before you go, you tell me a secret and I'll tell you one, meddai hi.

Okay, you go first.

I'm in love with Jamey Littleton.

Dyna'i chyfrinach hi; fawr o beth o gofio nag wyt ti'n gwbod pwy ar wyneb y ddaear yw Jamey Littleton. Bachgen yn yr un dosbarth â hi, meddai hi.

Now your turn.

Okay... I'm really a girl.

Mae'i hwyneb hi'n troi'n gas. Doeddet ti ddim yn erfyn hyn, nag oeddet ti? Yn wir, roeddet ti dan yr argraff ei bod hi wedi amau o'r dechrau, on'd oeddet ti?

Not yet, ti'n brysio i egluro, but when I grow up I'm going to turn into one – a woman, that is.

Mae hi'n syllu arnat ti'n syn am sbel hir. Odi hi'n mynd i dy fwrw di?

Nobody realises I'm a girl. I've never told anyone before. Only you, Tricia.

Mae'r geiriau hyn wedi costio lot iti. Daeth yr iaith yn anodd ac yn estron i ti, baglest ti dros bob gair, bron. Wyt ti wedi neud synnwyr? Odi hi'n dy ddeall di? Mae hi'n rhythu arnat ti o hyd. Ac yna mae hi'n gweud,

That's stupid. You're not a girl and you never will be.

Ac mae hi'n gafael yn ei chi, Poppy, ac yn rheteg i ffwrdd. Cyn iddi ddiflannu dros y tyle mae hi'n troi i drychyd arnat ti ac mae'n wherthin. Mae tinc sbeitlyd yn y sŵn.

Gest ti gyfeiriad dy gariad?

Naddo. A doedd hi ddim yn gariad.

O'n i'n meddwl 'ch bod chi'n ffrindiau mowr a'ch bod chi'n lico'ch gilydd yn ofnatw.

O'n i'n ei chasáu 'ddi.

Yn y car ar y ffordd sha thre rwyt ti'n gorwedd ar y sedd gefn ac yn cau dy lygaid am hydoedd a hydoedd. Yna, yn sytyn, ti'n cwnnu i drychyd ar dy dad a dy fam a ti'n gweld dau ddiawl yn gyrru'r car, cyrn yn tyfu mas o'u pennau, eu hwynebau fel llyffantod, eu dwylo'n grafangau. Ti ishe cwato o dan y sêt. Ond 'na gyd ti'n gallu'i neud yw cau dy lygaid unwaith eto.

Mae'r ysgol wedi dechrau eto. Heddi, gwelest ti Egwan o bell, roeddet i'n ei nabod wrth ei wallt coch yn stico lan. Aeth saeth o ofon drwy dy gorff. Doedd e ddim yn cario'r cês 'da'r gwn ynddo fe, ond rwyt ti'n dal i'w ofni fe. Bob tro rwyt ti'n mynd mas o'r tŷ ti'n ofni gweld Egwan. Mae'n dishgwl yn fowr ac yn goch ac yn oren i gyd a dyw e ddim yn wan o gwbwl, ddim hyd yn o'd ei lygaid, wath rwyt ti'n siŵr ei fod e wedi dy weld di. Mae fframau du ei sbectol yn dishgwl yn gas ac yn greulon i ti. Sdim ots ble ti'n mynd, ti'n ofon gweld Egwan yn dod rownd y gornel neu mas o'r perthi yn y parc neu'n sefyll yn y stryd ym Mhonty ncu yng Nghaerdydd.

Mae Siân yn prioti. Yn eich capel chi mae'r briotas. Mae hi'n prioti dyn o'r enw Owen ar ôl iddi gwrdd ag e yn y Cop lle bu'r ddou'n gweithio. Mae pawb yn dod i'r briotas 'ma. Mam-gu, Bopa Annie-May, Wncwl Aled ac Anti Maureen, Alan, Robert a Muriel sy'n mynd i fod yn forwyn briotas (ti wedi dod dros dy bwl o serch tuag ati hi ers sbel, on'd wyt ti?), Peter a Manon a Mair (y ddwy ola i fod yn forynion hefyd, morynion bech), a theulu Owen nag 'ych chi'n eu nabod yn dda iawn eto. Wncwls a motrypod, cenderwydd a cnithderwydd di-ri, ar y ddwy ochor.

Mae Siân yn gwisgo ffrog wen anferth a godre hir iddi sy'n ymestyn am lathenni y tu ôl iddi ac ar ei phen mae coron fech o flotau bach gwyn a fêl a mantell ysgawn denau ti'n gallu gweld trwyddi sy'n mynd o'i phen dros ei chefn reit lawr hyd at ymyl cynffon y ffrog. Ac mae hi'n cario pwysi o flodau gwyn a glas. Ac mae'r morynion a'r merched bech (whiorydd Owen) yn gwisgo ffrogiau gwyrdd golau golau, sy'n wyn bron a choronau o flodau gwyrdd ar eu pennau, eu gwallt wedi'i gyrlio, ac maen nhw i gyd yn debyg i'r tylwyth teg. Ac ar wahân i Fam-gu sy'n gwisgo dillad du o'r ganrif ddwetha yn ôl ei harfer, er taw'r rhain yw'i dillad du gorau, wrth reswm, mae'r menwod i gyd yn gwisgo hetiau mawr blodeuog a ffrogiau lliwgar a bagiau llaw sy'n matsio'u sgitiau. Mae Anti Maureen yn gwisgo glas tywyll a hufen chwaethus. Ac mae dy fam yn gwisgo het fawr a siwt lliw samwn pinc. Mae hyd yn o'd Bopa Annie-May yn gwisgo lliwiau golau – brown a melyn. Ac mae'r menwod i gyd yn gwisgo blodau amryliw hyfryd ac maen nhw'n dishgwl yn debyg i ddyrnod o ha, yn tynnu torch â'i gilydd am liwiau'r plu gorau.

Mae'r dynon yn gwisgo siwtiau tywyll – du, brown a llwyd – crysau gwyn, ac un carnasiwn yn eu lapeli. Rwyt ti'n gwisgo siwt lwyd olau a charnasiwn gwyn a thei streipiau llwyd, arian a hufen. Mae dy dad wedi rhoi brilcrîm yn dy wallt ac wedi'i gribo fe 'nôl i ffwrdd o'th dalcen di. Mae dagrau yn dy lwnc, on'd oes, er dy fod ti'n trio bod yn ddewr drwy'u llinci nhw. Pwy yn y byd 'sa'n dewis bod yn fachgen neu'n ddyn mewn priotas? Dillad dwl, unffurf. Y menwod sy'n cael yr hwyl i gyd. Yn enwetig y briodasferch sy'n debyg i dywysoges y tylwyth teg, ac yn enwetig y merched sy'n cael bod yn forynion, ac yn enwetig mam y briodasferch a'r menwod eraill sy'n wledd i'r llygaid a phob un yn cystadlu â'i gilydd.

Yn y risepsiwn r'ych chi gyd yn eistedd rownd bordydd hir iawn a chul yn y festri i gael bwyd. Mae dy dad yn sefyll ac yn siarad. Ffrind Owen yn sefyll i siarad i weud llwncdestun ac mae pawb i fod i gael lot o hwyl.

Dyma ti'n sylwi ar ddyn a menyw – maen nhw wedi bod yn wilia 'da dy fam – dwyt ti ddim yn siŵr pwy ydyn nhw, nac i bwy maen nhw'n bilongad, ai i Owen, neu ynteu i'ch tylwth chi. Mae hi'n gwisgo pinc – het binc, cot binc, sgitiau a bag llaw pinc. Mae hyd yn o'd ei minlliw a fframau'i sbectol yn binc; rhy binc. Ac mae hi'n denau ishta ymbarél nag 'ych chi'n gallu'i agor. Ac mae fe yr un mor denau â'i siwt, a'i dei yn frown.

Hylô, sut wyt ti? D'yn ni ddim wedi cwrdd o'r bl'en, nag 'yn ni? meddai fe.

A dyna'r tro cynta i ni gwrdd ac i mi ddechrau cymryd diddordeb yn dy hanes, ontefe?

Rwyt ti'n gorffod eistedd gyferbyn â rhyw gefnder nag wyt ti wedi'i weld ers blynydda. Mae'n siarad Sisneg 'da twang ac mae tosau coch 'dag e o amgylch ei ên a'i wddw.

Alli di ddim cyffwrdd â'r bwyd; mae'r cig coch ar y plêt yn codi pwys arnat ti. Pan ddaw'r blancmange a'r cwstard ti'n trio peth ond yn tacu wrth geisio'i linci. Mae un o'r merched bach yn cwmpo pop dros ei ffrog ac yna'n dechrau gweiddi llefain. Ti'n gweld dy gefnder 'da'r tosau'n llithro'i law lan ffrog y ferch sy'n eistedd wrth ei ochor – dwyt ti ddim yn ei nabod hi. Mae trwyn Bopa Annie-May yn mynd yn goch ac mae hi'n dechrau canu emyn ond mae Mam-gu'n rhoi pryd o dafod iddi ac yna mae llygaid Bopa'n mynd yn goch ac yn ddyfrllyd. Beth sy'n bod ar bawb? Mae'r mwstwr yn fyddarol ac mae pawb fel 'sa nhw ar fin cecran a cwmpo mas neu dorri mas i lefain.

Rwyt ti'n teimlo'n ofnadw o bell i ffwrdd oddi wrth bawb. Mae Siân yn prioti ac mae'n mynd heno i adael tre a ti'n teimlo mor dwp yn y siwt lwyd a'r trwser cwta a'th wallt seimllyd. Ti'n torri dy galon a does neb, bron neb, yn sylwi, wath mae crwtyn yn anweladwy mewn priotas.

Yna, yn y risepsiwn, ti'n drychyd o gwmpas ac mae wynepau pawb yn troi'n goch ac yn whyddo nes bod eu pennau nhw'n enfawr a'u cro'n yn grach ac yn dyllau ac yn glewynnau melyn i gyd – hyd yn o'd y merched bach, hyd yn o'd Siân. Mae dy geg yn llanw 'da chyfog – neu ynteu waed yw e? Mae'r waliau'n dalpau mawr o gig coch a pherfeddion yn hongian o'r nenfwd a phan wyt ti'n dishgwl ar y llawr mae dy draed mewn pwll o waed. Mae'r ford yn troi ac yn hedfan, cig pwdr a chynrhon ynddo ac mae gwaed dros y bobol i gyd fel 'sa nhw wedi bod mewn cyflafan.

Mae stafell sbar 'da chi yn y tŷ nawr fod Siân wedi gadael tre. Dyw hi ddim wedi gadael dim o'i chomics ar ei hôl, ddim hyd yn o'd y *Green Lantern*, dy ffefryn di achos roedd modrwy 'da fe a siapau gwyrdd yn dod mas ohoni yn ôl ei ddymuniad i ateb ei broblemau. 'He was a man defined by his power, as so many of his kind were. But like no other hero, his was a power that came more from within. He had a power ring that could create anything by pure force of will – his power was his imagination!' Lot gwell na Batman a Superman a Superwoman.

A ti'n mynd i'r wardrob. Does dim byd yno nawr. Mae'n wag. Mae Siân wedi mynd â phopeth gan gynnwys y bais a'r ffrog 'da'r rhosynnod porffor arni.

Pan ddaw dydd Satwrn mae dy dad a dy fam yn mynd i Gaerdydd hebddot ti. Maen nhw'n ddigon bo'lon i ti aros yn nhre ar dy ben dy hun bob tro maen nhw'n mynd i siopa nawr, sdim gwanieth ble maen nhw'n mynd, achos ti wedi bod yn grwtyn da – medden nhw – ac maen nhw'n gallu dy drystio di. Ar ôl iddyn nhw fynd smo ti'n aros pum munud achos does dim ots 'da ti os maen nhw'n dod 'nôl wedi anghofio rhwpeth neu beidio, wath smo ti'n mynd lan lofft ta p'un. Do's dim byd yno werth ei weld. Ti'n gwylio'r teledu fel rwyt ti fod i neud er does 'da ti fawr o ddiddordeb yn y rhaglen. Flinstones, meet-the-Flintstones, theyrethe modernstoneage famileee, from-the-town-of-Bedrock – theyreapagerightouttahist-oreee. A'r hysbysebion – don't say vinegar, say Sarsons. Opal fruits madetomakeyourmouthwater – fresh with the tang of citrus – four refreshing fruit flavours. Hot chocolate drinkingchocolatehotchocolate drinkingchocolate. A dyw Siân ddim yn mynd i ddod 'nôl yn sytyn o'r Cop â phen

tost wath mae hi'n byw yn Aberaman nawr. Ti'n sâff.
Does dim peryg. Tro nesa, walle, ei di gyda nhw i
Gaerdydd neu Abertawe, am dro. Rhwpeth i'w neud.
Maen nhw wastad yn dod sha thre cyn *Dr Who* ta p'un.

Does dim byd i'w neud, dim ar y teledu, dim ond
sbort ar un ochor a'r testcard ar y llall. Mae'r tŷ yn dawel.
Hen dŷ yw e, a ti'n eitha siŵr ei fod e'n llawn sbŵcs wath
bu farw tad dy dad 'ma a mam dy dad ac un o'i whiorydd
pan o'dd hi'n ferch fach. Mae'i llun hi yn y parlwr. 'Sa hi
yn ei saithdegau nawr 'sa 'i ddim wedi marw, ond yn y
llun mae hi'n ferch fach 'da gwallt hir tywyll yn gwisgo
slip gwyn. Mae hi'n sefyll mewn gardd o ryw fath, ond
dyw hi ddim yn ardd go-iawn, dim ond cefnlen yn y
stafell lle ro'n nhw'n tynnu'r llun yw hi. Ac er ei fod e'n
hen lun du a gwyn mae tipyn o liw ar ei hwyneb a'i
gwefusau a'i ffrog wen a'r blodau o'i chwmpas, wath mae
rhywun wedi peintio'r ffotograff fel o'n nhw'n arfer neud
ers lawer dydd. Rhian oedd ei henw.

Ai ysbryd Rhian sydd wedi dod i fyw yn dy gorff di?
Ai dyna pam ti'n credu dy fod di'n ferch? Mae'r parlwr yn
dawel ar wahân i dip-dap, dip-dap y cloc hir. Mae hi'n
ddistawach na'r un stafell arall yn y tŷ, wath does neb yn
mynd mewn yn aml iawn.

Pren yw banisters y staer. Ti'n mynd lan lofft ac yn
dishgwl dros y banisters a thrwyddyn nhw lawr at y llawr.
Mae fel bod ar falconi ar y landin. Ti wedi bod i dai
pobol erill wrth reswm, tŷ Paul, Manon a Mair, tŷ Wncwl
Aled ac Anti Maureen, a ti'n gwpod fod dy dre di'n hen
ffasiwn, ond ti ddim yn gallu gweud pam. Mae dy dad a
dy fam wedi peintio a phapuro pob stafell yn ddiweddar.

Ti'n mynd i bob un o'r llofftydd. Stafell fach gul yw stafell wag Siân; roedd hi wrth ei bodd 'da'r stafell fach yn ffrynt y tŷ. Stafell dy dad a'i wely dwbwl a'r hen wardrob fawr salw – y drych yn y cenol fel trwyn hir, yr addurniadau o boptu i'r drych wedi'u cerfio yn y pren tua'r top yn debyg i lygaid, a'r drâr ar y gwaelod yn ffurfio'r geg. Stafell dy fam a'i gwely dwbwl hithau a wardrob hyll arall. A'r stafell yn y cefn. Dy wely sengl a'r wardrob blaen 'da'r dillad bachgen ynddi. Ti'n siŵr fod rhywun wedi marw yn y llofft 'na – un o leiaf – y fam-gu nag o't ti'n nabod, a Rhian siŵr o fod.

Felly, ti'n mynd 'nôl i stafell wag Siân. Sdim byd ar y waliau nawr nac ar y silffoedd nac ar y dressing table. Ti'n agor drws y wardrob er dy fod ti'n gwbod yn iawn ei bod hi'n gwbwl wag, ond ti'n ei hagor hi ta beth – fel 'taet ti'n dishgwl i rwpeth neidio mas – dynon bach 'da chyrn ar eu pennau a'u dwylo'n grafangau – fel 'taet ti'n erfyn i rwpeth ymrithio yno wrth d'ewyllys. Ond does dim byd. Mae'n wag, fel ro't ti wedi ofni, fel o't ti'n gwbod yn iawn. Dim un cylchgrawn ar ôl, dim *Green Lantern*. Be mae hi'n neud 'da'r holl gomics 'na? Eu darllen nhw i Owen? O'dd Siân yn gwbod dy fod di'n dwlu ar *Green Lantern*. 'Sa modrwy 'da ti fel un y *Green Lantern* 'set ti'n gofyn am fôr o sleim i ddod mas ohoni i lithro dros yr ysgol a'r holl blant a'r athrawon a'u lapio mewn parsel gwyrdd a 'set ti'n ei dawlu fe i'r môr. 'Set ti'n gofyn am flwch teleffôn i ddod ohoni – ond f'asc fe'n wyrdd wath mae popeth sy'n dod o fodrwy'r *Green Lantern* yn wyrdd – a 'set ti'n gallu hedfan i bobman yn y blwch teleffôn a base fe'n fach y tu allan ac yn fawr oddi mewn, yn debyg i flwch ffôn Dr Who, a 'set ti'n mynd o le i le ac o amser i amser ynddo nes i ti ddod i'th amser a'th le dy hun, yn y dyfodol, walle, neu ar ryw blaned arall. A 'set ti'n gofyn i'r fodrwy am gi bach – ci bach gwyrdd, pwdl, a base'r ci bach yn cnoi d'elynion ac yn d'amddiffyn di a base fe'n gallu siarad hefyd. Ac o'r diwedd base ffrind 'da ti yn y byd. 'Set ti'n neud carped maint cae pêl-droed a 'set ti'n ei daenu dros y cae pêl-droed a phan fase'r bechgyn yn dod mas i whara base'r carped yn whythu i fyny a dyna ben ar bêl-droed yn y byd hwn unwaith ac am byth. Ac weti 'ny 'set ti'n cael ffrog werdd o'r fodrwy fel ffrogiau'r merched ym mhriodas Siân a choron o flodau gwyrdd ar dy ben a sgitiau gwyrdd am dy draed a chlustdlysau gwyrdd sbarcli yn dy glustiau. 'Set ti'n gofyn am ragor o fodrwyau gwyrdd rhag ofn i'r fodrwy werdd wyrthiol fynd ar goll – ac weti 'ny 'set ti 'nôl lle rwyt ti, heb fodrwy wyrthiol, heb flwch teleffôn i fyw ynddo a heb gi gwyrdd i fod yn ffrind i ti.

Ti'n troi mewn cylchoedd yn stafell wag Siân, yn troi yn y gwacter, fel gwyfyn yn y golau. Mae'r tawelwch yn rhyfedd. Ti'n siŵr fod ysbrydion anweladwy yna, yn hongian yn yr awyr, yn dy wylio di. Maen nhw'n watsio pob symudiad, yn gwbod popeth amdanat ti, 'tyn, 'tyn.

Yna, ti'n agor drôr yn y dressing table. Mae'n wag. Dim ond hen bapur newydd yn y gwaelod wedi melynu. Ond, na. Yno yn y gornel mae dwy botel fach. Felly ti'n eu tynnu nhw mas ac yn cau'r drôr. Hen botel o ewinlliw orengoch yw un; does dim llawer ar ôl ynddi, dim ond diferyn yn y gwaelod. Nace potel yw'r llall ond hen diwb o finlliw. Ti'n tynnu'r top bant, sy'n neud sŵn snapio dymunol, weti 'ny ti'n troi'r gwaelod ac mae stwmpyn o finlliw orengoch yn dod lan. Mae dy galon yn curo'n gyflym yn union fel y gwnâi pan fyddet ti'n tynnu'r ffrog rhosynnod porffor mas o'r wardrob. Diolch, Siân. Diolch am anghofio'r pethau bach hyn. Briwsion dy fywyd benywaidd.

Ti'n eistedd o flaen drych hirgrwn y dressing table ac yn gwastatáu dy wefusau'n dynn dros dy ddannedd – heb agor dy geg – yn union fel ti wedi gweld Siân yn ei neud gannoedd o weithiau, fel ti wedi gweld cannoedd o fenwod a merched yn ei neud a tithau yn eu gwylio nhw, yn eu hastudio nhw – a ti'n peintio'r minlliw dros dy wefusau. Y teimlad moethus! Yna ti'n gwasgu dy wefusau mas yn bwdlyd, siâp cusan, ac yn doti mwy o finlliw ar y corneli. Yna, dyma ti'n agor dy geg ac yn gwenu. Dyw'r siâp ddim yn iawn, dyw'r ymylon ddim yn glir a nawr mae peth o'r lliw wedi mynd ar dy ddannedd. Ond, sdim ots, ti'n teimlo'n wych, on'd wyt ti? Mae'r minlliw yn stici a ti'n gallu'i flasu fe. Does dim byd tebyg i flas minlliw ar dy ddannedd, nag oes?

Yna, ti'n agor y botel ewinlliw. Daw brws bach mas 'da'r cap. Mae blobyn o'r hylif trwchus ewingoch arno. Ti'n taenu'r paent dros ewin dy fawd ar dy law chwith. Gwthi di'r brws i waelod y botel 'to i gael blobyn arall i beintio bys arall, a thipyn ar y bys canol. Ond mae'r paent yn drwchus ac yn stiff a smo fe'n llifo'n iawn, nag yw e? Does dim lot ar ôl. Ond ti'n llwyddo i gael digon mas i neud ewin dy fys bach i gyd ac i ddoti un smotyn ar y bys sydd ar ôl. Does dim digon i neud dy law dde. Ti'n dishgwl ar dy law yn y drych. Dyw'r effaith ddim yn gyflawn nac yn dy foddhau. Ti'n dal dy law lan at dy geg ac unwaith eto ti'n teimlo'n arbennig o wych, hyd yn o'd os nag yw'r llun yn berffaith.

Ti'n rhoi'r botel a'r minlliw i gadw yn dy stafell, dan y gwely. Fydd dy fam di byth yn eu ffeindio nhw m'yna.

Yn y rwm genol ti'n eistedd o flaen y teledu, dy law chwith ar dy ben-glin, y farnais yn sychu. Rêl ledi.

Yna ti'n sylwi ar y cloc. Byddan nhw'n ôl cyn bo hir. Rhaid i ti olchi'r lliwiau i ffwrdd ar unwaith, er bod hynny'n mynd i dorri dy galon, ontefe? Pam na chei di beintio d'ewinedd a'th wefusau a'th ruddiau a'th aeliau, fel unrhyw ferch arall? Pam wyt ti'n gorffod gwisgo brown a llwyd a du o hyd?

Ond, dyma sioc. Dyw golchi dy wefusau 'da sebon ddim yn gweithio. Yn hytrach, mae'r lliw'n lledaenu ar draws rhan isa dy wyneb i gyd, dy ên, rhan o'th drwyn. Gan dy droi di'n glown. Ti'n ymolchi mewn dŵr glân. Ond mae dy wyneb di'n dal i fod yn gochbinc. Ti'n trio sebon 'to a dŵr glân. Ond mae'r lliw'n dal i lynu. Dyma ti'n cymryd dy frws dannedd at dy wyneb, ond mae'r brws yn troi'n oren. Ti'n iwso brws sgwrio ewinedd o ochor y bath ac yn sgwrio 'da sebon ac wedyn dŵr glân eto. Mae'r lliw'n dechrau gwanhau ond mae dy wefusau'n oren o hyd. Golchi a golchi. Dyw'r lliw ddim yn dod bant. Beth am yr ewinedd? Ti wedi anghofio'n llwyr am d'ewinedd. Sgwrio a sgwrio 'da'r brws a sebon. Dyw'r paent ar yr ewinedd ddim yn symud o gwbwl. Dim o gwbwl! Be nei di? Y garreg bwmish! Ti'n sgwrio o gwmpas dy geg 'da'r garreg bwmish, o dan dy drwyn, dy ên, dy ruddiau, dy wefusau — ti'n sgwrio'n galed ac yn ddidrugaredd mewn panic ofnadw, yn sgwrio'n galed ac yn glou; mae'n brifo ond sdim ots, dim ond iti gael y lliw i ddod i ffwrdd. Sdim amser ar ôl 'da ti; byddan nhw sha thre mewn munud. Ti'n golchi dy wyneb yn lân eto 'da dŵr oer, clir. Ti ddim yn siŵr a wyt ti'n goch nawr o achos y minlliw neu yn sgil y sgwrfa ffyrnig. Ti'n sychu dy wyneb a mynd lawr i'r rwm genol i shamo dy fod ti'n gwylio *Dr Who*. Wrth i ti erfyn sŵn dy dad a dy fam yn dod drwy'r drws ti'n mentro cymryd cipolwg bob hyn a hyn yn y drych uwchben y tân. Bob munud bron. Ti'n gallu gweld olion y minlliw oren yn y rhychau bach yng nghroen dy wefusau o hyd. Bydd rhaid i ti gwato dy law chwith drwy'r noson, rywsut, wath dyw'r paent oren salw ddim wedi symud o gwbl. Lwcus nest ti ddim peintio ewinedd y law arall, ontefe. Sut yn y byd mae merched yn cael y lliwiau 'ma bant?

Yna, clywi di'r drws. Maen nhw'n mynd i'r gecin gynta i ddoti pethach i gadw. Ti'n gorwedd ar dy fol ar y llawr o flaen y teledu. Yna, dyma nhw'n dod i'r rwm genol.

Paid â myn' mor acos at y teledu. Nei di niwed i'th liced di. A phaid â gorwedd ar y llawr fel 'na.

Ti'n cwnnu ac yn eistedd ar y soffa. Sneb wedi dishgwl arnat ti eto. Yna –

Be sy'n bod ar dy wyneb di? Mae dy fam yn gofyn. Dere 'ma i mi g'el gweld.

Mae hi'n dal dy geg ac yn dy dywys i sefyll yn union o dan y golau.

Ow! 'Co hwn, Dai. Mae dag e ryw sort o rash!

Mae dy dad yn dod i ddishgwl. Mae fe'n cwnnu'i ben er mwyn drychyd drwy'i beiffocals.

Ti ddim wedi bod yn trio siafo, nag 'yt ti?

Nagw i!

Does 'da ti ddim awydd siafo, ac eto mae'n well esgus na'r gwirionedd, sef dy fod ti wedi bod yn coluro dy wyneb.

Wi'n myn' i ddoti calamin lotion arno fe ta beth yw e, meddai dy fam gan fynd i whilio am y botel yn y pantri.

Nest ti ddim nytiso'r sgôrs ffwtbol, naddo?

Naddo.

Mae dy dad yn gofyn hyn bob wythnos fel petai'n dal i obeithio y byddi di'n cymryd diddordeb mewn pêl-droed 'to.

Mae'r rash 'ma'n od, meddai dy fam gan ddabo dy wyneb 'da gwlân cotwm sy'n wlyb 'da calamin lotion oer a phinc. Wi ffilu deall e o gwbwl. Smo ti'n timlo'n dost nag 'yt ti?

Nagw i.

Yr un noson ti'n cael bàth. Dyw'r lliw ar d'ewinedd ddim yn ildio o gwbl, sdim ots faint ti'n sgwrio. Ond yn dy wely ti'n llwyddo i grafu peth eitha da ohono fe i ffwrdd 'da siswrn bach. Mae 'na beth ar ôl o hyd ar yr ymylon lle mae'r ewinedd yn cyffwrdd â'r croen.

Yn y bore ti'n golchi'r calamin lotion sych i ffwrdd ac mae'r lliw coch wedi mynd, rhan fwya. Ti'n fachgen unwaith eto.

Yn yr ysgol sylwodd Roddy a Kelvin ar y lliw yn ymylon d'ewinedd – o't ti wedi anghofio amdano dros y Sul. Yn yr iard amser whara cydiodd Roddy yn arddwrn dy law chwith tra bod Kelvin yn dal dy fraich arall y tu ôl i'th gefn a dangos dy law i'r bechgyn erill. Weti 'ny maen nhw i gyd yn llafarganu – Cissy, Poofta, Cissy, Poofta – mewn cylch o'th gwmpas di. Er bod Dap ar ddyletswydd yn yr iard ac yn gallu'u gweld nhw a'u clywed nhw yn dy hambygio ac yn dy fwlio di, smo fe'n symud bys i'w stopo nhw. Yna, yn y prynhawn, pan aeth Mr Phillips mas o'r stafell am dro, fel mae'n neud yn aml iawn, fe gest ti hi. Gafaelodd y bechgyn amdanat ti a dy ddal di i lawr ar un o'r desgiau a thynnu dy drwser lawr o flaen pawb. Pawb yn giglan. Bechgyn a merched. Yna daeth Mr Phillips 'nôl yn sytyn heb i neb ei glywed o achos y mwstwr. Ond wrth iddo ddod drwy'r drws roedd pawb 'nôl yn eu seddau yn jocan eistedd yn dawel. Ond o't ti'n sefyll o flaen y dosbarth, lle roedd y bechgyn wedi dy ddoti di, yn tynnu dy drwser lan a Mr Phillips yn credu'i fod e wedi dy ddal di'n tynnu dy drwser lawr i ddangos i'r merched. Cest ti whech o'r gansen dros dy ben-ôl. Ond chriest ti ddim, naddo?

Ar dy ffordd sha thre ti'n brifo, nid yn unig ar dy ben-ôl ond yn ddwfwn y tu mewn. Ti ddim yn gallu mynd 'nôl i'r ysgol eto. Allet ti ddim wynebu neb. Ond ti ddim ishe mynd sha thre chwaith. Ti'n teimlo fel cerdded yr holl ffordd i dŷ Siân. Ond, na, allet ti ddim gweud dim wrth Siân chwaith. Ac maen nhw'n gweud wrthot ti bydd rhaid i ti fynd i ysgol arall, 'da'r bechgyn mowr, he'fo'n 'ir.

Mae dy fam yn sefyll i gloncan ar y ffordd i mewn i'r festri, cyn mynd mewn i'r Ysgol Sul. Smo Siân yn dod nawr mae hi wedi prioti. Mae dy fam yn siarad â'r menwod.

Ti'n napod hi, mae hi'n pyrthin i Owen mae Siân ni weti'i brioti; o'dd hi a'i gŵr yn y briotas, o'dd hi weti'i gwisgo mewn pinc i gyd. Mae'i thed hi'n gefnder i ded Owen.

Dyw'r menwod ddim yn siŵr, felly mae dy fam yn mynd yn ei blaen.

Ac o'dd ei mam yn ferch i'r hen ddyn 'na o'dd yn arfer catw siop sgitiau ar y twyn. Beth o'dd enw'i mam nawr?

Nece Myra? mae un o'r menwod yn gofyn.

Ne, meddai dy fam ond maen nhw ar y trywydd iawn o'r diwedd, nece Myra ond o'dd ei mam hi a Myra yn arfer bod yn ffrindiau mowr. Wi'n cretu taw Nansi o'dd enw'i mam.

O! wi'n gwpod, wi'n gwpod, meddai dwy neu dair o'r menwod gyda'i gilydd, wi'n gwpod pwy sy 'da ti nawr.

Ie, ie, Linda yw'i henw 'ddi, meddai dy fam. Wel mae hi a'i gŵr hi, Merlin, weti pyrnu tŷ yn ein stryt ni, hen dŷ Miss Brian, ochor draw i'n tŷ ni, a maen nhw'n symud miwn wythnos nesa. Maen nhw'n bobol dduwiol iawn, 'sbo.

Beth yw'i waith e? mae un o'r menwod yn gofyn.

Athro oedd e'n arfer bod. Athro Cwmrêg. Mae fe'n M.A. ond ces e nervous breakdown a smo fe'n gallu gwitho'n iawn nawr ond fel supply teacher, wath mae fe'n dal i ddiodde 'da'i nerfau, ys gwetson nhw.

Doedd gwybodaeth dy fam ddim yn gwbwl gywir. Ta beth, aethoch chi i gyd i mewn i'r festri, o'r diwedd.

Yn ystod yr Ysgol Sul dyma ti'n gofyn i Bopa Menna gei di fynd i'r tŷ bach ac mae hi'n gadael i ti fynd. Does 'da ti gynnig i dŷ bach y capel a ti ddim ond yn mynd yno os oes rhaid wath mae fe mewn gwli tywyll cul rhwng y capel a'r festri. Mae'n o'r a thywyll a brown a mae lot o gorynnod yno a ti'n ofni rheina. Ti'n trio piso'n glou, cau dy gopis a throi i fynd. Ond pwy sy'n sefyll yn y drws, llygaid broga a gwallt carpet, ond Egwan.

Licl basdad. Ga'i weld dy wili di?

Na. Gad i mi basio. Gad i mi fynd!

Na, chei di ddim mynd, licl basdad. Wi'n myn' i weld dy wili di.

Mae'n dy wthio di'n ôl i mewn i'r tŷ bach ac yn cau'r drws. Mae hi'n dywyll ac mae fe wedi dy gau di i mewn ar dy ben dy hun 'da'r corynnod. Ti'n trio'r drws ond dyw e ddim yn symud. Mae Egwan wedi cloi'r drws rywsut ac wedi mynd a dy adael di yno. Mae hi fel bod yn y bedd a ti'n ofni marw. Ti'n siglo'r drws ac yn ei gicio ac yn gweiddi a sgrechian.

Yn y diwedd mae rhywun yn dod – Mr Watkins, y blaenor.

Ti wedi gofyn gei di symud i mewn i stafell fach Siân yn ffrynt y tŷ ac maen nhw wedi cydsynio. Dyma dy stafell di nawr. Roedd 'na amser pan oedd hi'n gas 'da ti fynd i'r gwely. O't ti ishe aros lan i weld y rhaglenni iasoer fel *Alfred Hitchcock Presents* ond dyw dy dad a dy fam ddim yn fo'lon. Nawr, yr unig beth ti'n ei fwynhau am y diwrnod i gyd yw pan ti'n paratoi i fynd i'r gwely. Yna byddi di'n cwato dan y dillad ac yn diffodd y golau. Dyw'r bechgyn mowr ddim yn gallu neud niwed i ti, na neb arall. Ac yna ti'n mynd i gysgu a does dim amcan 'da ti ble ti'n mynd. Ti'n diflannu dros dro, heb freuddwydion hyd yn o'd. O't ti'n arfer ofni mynd i gysgu rhag ofn i ti farw yn dy gwsg. Ond nawr ti'n ofni dihuno.

Ond wedi gweud hynny ti wedi cael hunllefau'n ddiweddar ac mae rhwpeth ofnadwy'n dod i mewn i'th freuddwydion. Weithiau mae'n dod ar dy ôl di, ar hyd y coridorau hir a thywyll lle mae'r lloriau'n slic a'th draed yn llithro arnyn nhw, ti'n cwmpo, ac mae fe'n dod yn glou nawr a ti ddim yn gallu cwnnu na symud na gweiddi na sgrechian. Ti'n whysu'n botsh ac yn pallu neud sŵn. Yna ti'n sylweddoli does dim pwrpas sgrechian ta beth, wath taw dim ond dy dad neu dy fam fase'n dod, a be fasen nhw'n neud i reoli'r peth ofnadw 'ma, er taw gorilas ydyn nhw?

Mae pysgod our newydd 'da nhw yn yr ysgol ar ôl y rhai fu farw. Enwau'r rhai newydd yw Dave Dee, Dozy, Beaky, Mick a Titch.

They'll soon be dead like the other lot, meddet ti. Ac am weud hynny cest ti ambell gic yn yr iard amser whara, a daeth Helen reit lan atat ti a phwyri yn dy wyneb.

Miss Corncrofft yn watsio o'r drws, ar ddyletswydd, yn neud dim.

Ond sdim ots. Ti ddim yn siarad â neb yn yr ysgol nawr. Ddim yn gweud gair. Ddim hyd yn oed i ateb yr athrawon, cansen neu beidio.

Wi'n casáu mynd i'r ysgol, meddet ti wrth dy dad un noson.

Aros di, meddai fe, byddi di'n dishgwl 'nôl ac yn gweud, 'Na amser gora 'mywyd.

Amser gorau dy fywyd! Felly, mae pethau'n mynd i fod yn wath byth ar ôl i ti adael yr ysgol, otyn nhw? A ti ddim wedi bod drwy'r ysgol fowr 'to, 'da'r bechgyn mowr. Mae blynydde a blynydde o'th flaen di.

Felly, dyma ti'n penderfynu peidio â mynd i'r ysgol eto. Yn y bore ti'n jocan mynd mas drwy'r drws ffrynt. Agor y drws a gweiddi Ta-ra, cau'r drws yn glep o'th flaen di a mynd lan y staer mor ddistaw â chorryn a chwato dan wely mowr dy fam. Mae digonedd o le 'na.

Yn nes ymlaen dyma dy fam yn dod lan lofft i gywiro'r gwelyau. Ti'n gallu gweld ei thraed wrth iddi symud o amgylch y gwely. Ti'n dal dy wynt. Ti'n gweld ei slipanau gwyrdd, ei choesau tew yn y stocins neilon, ymyl ei sgert wrth iddi blygu dros y gwely. Mae'n symud yn ôl ac ymlaen, yn neud yr ochor whith a weti 'ny yr ochor dde. Ti ddim yn gallu gweld ei dilo 'ddi wrth iddi blygu corneli'r cynfasau a'u gwthio o dan y fatras. Yna, yn annisgwyl, mae hi'n eistedd ar y gwely dan ochneidio. Mae gwaelod y fatras yn gwasgu lawr yn erbyn dy wyneb. Ti'n ofni cael dy fygu i farwolaeth. Ond ti ddim yn neud sŵn. Mae dy fam yn gweud rhwpeth fel twt-twt-twt dan ei gwynt ac yn ochneidio'n flinedig unwaith eto fel 'se hi ar fin llefain. Mae hi'n swnio'n ofidus, mae'n gweud diar, diar drosodd a throsodd, yn siarad â hi'i hun, ond ti ddim yn gallu clywed y geiriau'n iawn; mae hi'n siarad mor dawel, alli di ddim neud na phen na chwt o'r brawddegau bach pytiog a ti'n siŵr ei bod hi'n crio'n ddistaw bach.

O'r diwedd mae'n cwnnu ac yn mynd i stafell dy dad drws nesa. Diolch byth, ti'n gallu anadlu eto a gryndo ar ei thraed yn mynd pit-pat pit-pat o gwmpas gwely dy dad wrth iddi gywiro hwnnw. Mae hi'n neud y gwaith wrth ei phwysau. Walle'i bod hi'n eista ar y gwely yna ac yn siarad â hi'i hun eto ond smo ti'n gallu'i chlywed hi. Yna, mae'i slipanau'n mynd pit-pat pit-pat ar hyd y landin i'th stafell di lle mae hi'n cywiro dy wely di'n araf. O leia dyw hi ddim yn gorffod cywiro gwely Siân nawr.

Ar ôl iddi gwpla'i gwaith lan lofft mae hi'n mynd lawr staer 'to i'r gecin a ti wddot fod 'da ti ddiwrnod i ti dy hun dan y gwely wath fydd hi ddim yn dod lan 'to. Chei di ddim cinio, ond sdim ots 'da ti o gwbwl; does 'da ti gynnig i fwyd cantîn yr ysgol lle ti'n gorffod byta 'da'r plant eraill ac mae'n well 'da ti fod dan y gwely ar dy gefen yn y llwch yn syllu drwy'r sbrings ar batrwm blodau'r fatras na bod yn yr ysgol. Ti'n rhydd yma. Mae 'da ti oria ac oria i fynd eto. Wnei di ddim symud rhag ofn y bydd dy fam yn clywed.

Lwcus nag oes ci 'da ti nawr, ontefe? Wath dwi'n siŵr 'set ti wedi cwato dan y gwely 'na 'se fe'n gwbod a 'se fe'n siŵr o ddod lan lofft i whilio amdanat ti ac weti 'ny 'se dy fam yn gwbod hefyd, on' fase hi? Ond fe gei di gi ar ôl i ti dyfu lan. Be 'set ti'n ei alw fe? Nace Sheba na Prince na dim byd cyffretin fel 'na ond rhwpeth mas o'r enseiclopidia fel Zeus neu Jupiter neu Arthur, walle. A 'set ti'n doti coler o ddiemwntiau go-iawn am ei wddw a chlustog o felfed coch iddo gael gorwedd arni. A 'set ti'n byw mewn tŷ mawr 'da pharc o'i gwmpas a lawntydd llydan, hirsgwar glas ar bob tu a 'set ti'n gwisgo ffrogiau hir coch neu las a gwyn 'da rhosynnod porffor arnyn nhw a modrwyau ar dy fysedd a thlysau yn dy glustiau a 'set ti'n gwisgo dy wallt hir yn uchel ar dy ben di a 'se pawb yn dy alw di'n Madam a 'se digon o forynion a gweision 'da ti a 'set ti'n mynd â'r ci am dro yn y parc bob dydd. 'Set ti ddim yn siarad â neb a 'set ti ddim yn gwahodd neb i'r tŷ – ddim y gorila-dad na'r gorila-fam na Siân hyd yn o'd.

Smo ti wedi bod yn agos at yr ysgol ers tridiau. Bob dydd ti'n mynd i gwato dan y gwely. Un diwrnod bu ond y dim i ti gael dy ddal gan dy fam. Yn lle aros yn dy le o dan dy wely roeddet ti'n gweld yr amser yn mynd yn hir a diflas a dethot ti mas a dechrau symud o gwmpas, dishgwl yn y drarau, a rhaid bod dy fam wedi clywed rhwpeth. D'eth hi i sefyll am dipyn ar y landin i wryndo. Llithrest ti'n ôl dan y gwely a neth hi ddim dy ddal di. A neth hi ddim dod lan eto y diwrnod hwnnw. Dro arall clywest ti dy fam yn mynd mas i fynd draw'r hewl i nôl neges. Ethot ti am dro i dy stafell dy hun. Ond dyma ti'n drychyd drwy'r ffenest a dyna lle oedd Linda Morris yn sefyll yn ei ffenest hithau yn y tŷ ochor draw – ond y tro hwn porffor tywyll oedd lliw ei dillad, o'i phen i'w sawdl – ac oedd hi'n drychyd i fyw dy lygaid di. Rhy ddiweddar i ti symud o'r ffenest a chwato fel nest ti. Ti wddot ei bod hi wedi dy weld ti ganol y prynhawn pan ddylset ti fod yn yr ysgol, ac roeddet ti'n siŵr y base hi'n gweud wrth dy fam. Ond nace fel 'na y d'eth dy gyfrinach mas, nace fe?

Ddoe canodd cloch y drws amser cinio ac eth dy fam i'w ateb a chlywest ti lais Paul yn gweud doeddet ti ddim wedi bod yn yr ysgol nac yn cael cinio – fel 'set ti'n mynd i'r cantîn jyst am y cinio a ddim yn mynd i'r gwersi – a bod y prifathro wedi gofyn iddo ddod i weld a oeddet ti'n dost a pham o't ti wedi bod yn absennol. Clywest ti dy fam yn gweud yn gwbl ddi-ddeall dy fod ti wedi bod i'r ysgol bob dydd, a gallet ti glywed y syndod yn ei llais, felly dethot lawr y staer. Ti wddot nag oedd dim dewis. Bu bron i'th fam gael ffit pan welodd di.

Ar ôl iddi hala Paul i ffwrdd dyma ti'n trio gweud wrth dy fam beth o't ti wedi bod yn neud. O'dd hi'n pallu dy gredu di.

Beth? Gorwedd dan y gwely? Drwy'r dydd? Mae ishe whilio dy ben di!

Nest ti ofyn yn daer iddi beidio â gweud wrth dy dad; base fe wedi gwylltio.

Dyma ti nawr yn swyddfa'r prifathro. Ti wedi gweud wrtho'n blwmp ac yn blaen nag wyt ti'n lico'r ysgol; ti ddim ishe mynd i ysgol arall chwaith. Ti'n ofni'r plant. Maen nhw wedi bod yn dy fwlio di. Mae dy fam yn eista'n dawel yn ei chôt orau, yr un mae hi'n ei gwisgo i'r capel, un werdd brynodd hi yn C & A 'da choler ffwr tywyll. Mae hi a'r prifathro'n siarad Cymraeg wath mae fe'n mynd i gapel yn y pentre. Mae hi wedi bod yn crio achos dy fod ti wedi bod yn mitsio.

Ond rhaid i ti ddod i'r ysgol, meddai'r prifathro'n fwstás ac yn wynt tybaco cetyn pib i gyd. Rhaid i ti ddod nawr neu ti'n mynd i fethu'r eleven plus. Rhaid i ti gael addysg. Mae ysgol yn dy baratoi di ar gyfer bywyd. Beth wyt ti eisiau bod pan dyfi di lan?

Menyw.

Ti'n mynd i'r ysgol bob dydd eto. Mae dy fam a'r prifathro wedi trefnu bod dau fachgen, un sy'n byw yn eich stryd chi, yn galw amdanat ti bob dydd i neud yn siŵr dy fod ti'n mynd. Ti'n gorffod mynd i weld y prifathro yn ei swyddfa bob dydd hefyd, er mwyn iddo gael gweld dy fod ti wedi cyrraedd. Paul yw un o'r bechgyn hyn a Gareth Davies yw'r llall, yr un sy'n byw yn y stryd. Maen nhw'n cerdded o'th flaen di wath d'on nhw ddim ishe cael eu gweld yn dy gwmni di. Maen nhw'n canu 'We All Live in a Yellow Submarine' drosodd a throsodd.

Mae'r ysgol yn waeth nawr achos mae pawb yn gwbod dy fod ti wedi bod yn mitsio dan y gwely a dyna jôc fawr y ganrif. Paul sydd wedi gweud wrth bawb. Diolch yn fawr, Paul. Ac mae'r prifathro wedi gweud wrth yr athrawon i gyd achos maen nhw'n gorffod cadw llygad arnat ti.

Ti ddim yn siarad â neb, ti ddim yn gallu ateb yr athrawon a ti ddim yn gallu neud dim gwaith.

Mae balŵn o wydr o'th gwmpas yn yr ysgol nawr. Mor glir yw e fel does neb yn gallu'i weld e a dwyt ti ddim yn gallu clywed trwyddo. Mae'r awyr sydd ynddo fe'n neud i ti deimlo fel 'taet ti'n hedfan yn uchel uwchben y byd weithiau. Tydi, dy gi, ta beth yw ei enw e; ci gwyrdd yw e.

Ond neth Egwan dy ddal di eto y diwrnod o'r blaen.

Licl basdad, meddai fe gan dy orfodi di i ddod mas o'r balŵn. Doedd y cês du 'da'r gwn ynddo ddim dan ei fraich y tro hwn.

Wi wedi cael llond bol o weld dy licl wyneb di ambythtu'r lle 'ma. Ble ti'n mynd?

Sha thre.

Nag 'yt ti, ti'n dod 'da fi, meddai gan gydio yng ngholer dy siaced.

Ti wostod yn gwisgo'r hen siacet lwyd 'ma, yn dwyt ti? Oti dy deulu mor dlawd fel ti'n gorffod gwisgo'r un hen ddillad bob dydd? Dere, ni'n myn' ffor' hyn.

Aethoch chi lawr rhyw gwli y tu cefn i'r tai, lawr rhyw hen lwybr cul, drwy'r stingis, tu ôl i'r lotments.

Mewn i'r sièt 'na, meddai gan dy wthio di yn dy flaen.

Ond nest ti droi a trio gwthio heibio iddo fe, ond roedd e'n sefyll yno fel drws yn dy ffordd ac roeddet ti'n siŵr ei fod e'n mynd i dy ladd di. 'Na gyd oeddet i'n gallu gweld trwy dy ddagrau oedd ei sgitiau brown, wath roedd ofon 'da ti ddishgwl yn ei lygaid. A dyma fe'n rhoi hwb arall i ti.

Dere 'mle'n, licl basdad! Mewn i'r cwtsh!

Na, meddet ti a'i gicio fe ar ei grimp a llithro heibio, a dyma ti'n rheteg fel y cythraul.

Licl basdad, o'dd e'n gweiddi ar d'ôl di, wi'n myn' i dy flingo di tro nesa!

Ti'n rheteg a rheteg, dy ddagrau'n llanw dy lygaid.

Rheteg sha thre oeddet ti, siŵr o fod, pan faglest ti reit i mewn i'r cymdogion newydd 'ma.

Be sy'n bod? gofynnodd y fenyw yn y dillad porffor gan afael yn dy law.

O's rhywun wedi d'anafu di? gofynnodd y gŵr yn y dillad brown a phlygu lawr wrth d'ochor di i ddangos ei gydymdeimlad â ti. Yn sytyn, fe'th amgylchynwyd gan garedigrwydd a diogelwch.

Mae fe'n byw yn y tŷ ochor draw i ni, meddai hi. Ti'n cofio – mae'i wh'er weti prioti Owen, pyrthyn i ni.

Ti'n dal i ician crio. Mae'r fenyw'n trio d'annog di i weud beth sydd wedi dicwdd ond ti'n pallu datgelu dim.

Delan ni sha thre 'da ti, meddai hi. Delan ni i weld dy dad a'th fam.

Mae hi'n dal i afael yn dy law nes i ti reoli d'anal ac weti 'ny ti'n siglo dy law'n rhydd. Ti ddim ishe i Gareth Davies nac unrhyw fachgen arall dy weld di'n cerdded law yn llaw â menyw, er dy fod ti'n teimlo'n sâff yng nghwmni'r ddou.

'Na fe, paid â chrio nawr.

Ti'n sylwi ar ei lediaith. Er ei fod e'n trio siarad fel dy dad a dy fam neu Bopa Annie-May a Mam-gu, mae 'na rwpeth sydd ddim cweit reit, on'd oes?

Dyma ni, meddai hi, dyma'n stryd ni. Bydd rhaid i ti ddod draw i'n gweld ni, Mr Morris a finnau. Ond gad ni ddod i weld dy fam gynta.

Ti'n cael cinio yn nhre Siân ac Owen. Mae Siân yn gallu coginio'n well na Mam a ti'n folon byta'i thatws rhost a 'maid o gig. Smo hi'n trio d'orfodi i fyta dim mwy na be ti moyn. Dim bara achos ti ddim yn gallu goddef y teimlad yn dy lwnc. R'ych chi'n cael hufen iâ wedyn. Wath ma' ffrij 'da Siân.

Wyt ti'n dishgwl 'ml'en at fynd i'r ysgol fowr?

Ti ddim yn gallu'i hateb yn syth, ti'n teimlo'n benysgafn, daw dagrau i'th lwnc ac i sefyll y tu ôl i'th lygaid.

Alla i ddim mynd.

Mae hi'n doti'i braich am d'ysgwydd.

Be sy'n bod 'dag e? mae Owen yn gofyn, smo fe byth yn siarad â ti.

'Se'n well 'da ti farw na mynd i'r ysgol fowr. Ta beth, ti'n gorffod neud y lefen plys, felly ti ddim yn gwpod i bwy ysgol ti'n gorffod mynd.

Paid â phoeni, meddai Siân, bydd popeth yn iawn.

Mae Siân yn neud gwely i ti yn y stafell sbâr a ti'n cael cysgu yma heno a thros y Sul. Sdim rhaid i ti fynd i'r Ysgol Sul pan ti'n sefyll 'da Siân.

Mae'r gwely'n gul, gwely plycu yw e, a ti'n ofni cwmpo mas ohono. Mae fel bod mewn cwch. Wyt ti'n

breuddwydio? Ti ddim yn siŵr. Ti'n hedfan drwy'r
tywyllwch yn y gofod ar y gwely cul; does dim byd o'th
gwmpas ond duwch diwaelod a gwacter, dim sêr, dim
smic o olau, dim sŵn, dim byd o dan y gwely, dim byd
uwchben. Dim. Dim i unrhyw gyfeiriad ond tywyllwch
am filiynau ar filiynau o filltiroedd. Ti'n teimlo dy hunan
yn disgyn yn ôl drwy'r tywyllwch.

Flynyddoedd 'nôl dotodd dy dad goncrit dros eich gardd
yn y cefn a thros yr un fechan yn y ffrynt. Does dim un
planhigyn 'da chi, dim blewyn o laswellt hyd yn o'd. Ond
mae perth prifet yn y ffrynt o hyd. Cadwodd dy dad y
berth wath mae'n rhoi 'maid bach o breifatrwydd i chi,
meddai fe. Ond mae fe'n gorffod ei thocio hi bob hyn a
hyn i'w chadw hi'n floc hirsgwar a thaclus ac weti 'ny
mae fe'n gorffod sgubo'r toriadau lan a'u cwnnu a'u doti
nhw yn y bin sbwriel. Ti'n lico'i wylio fe'n torri'r berth
'da'r gwellau sy'n debyg i siswrn mawr, nes ei bod yn dalp
o wyrddni 'da'r ochrau a'r top yn berffaith fflat, fel wal
werdd, fel 'se hi wedi dod o fodrwy'r *Green Lantern*. Mae
darn o bren 'da'th dad fel siâp 'L' â'i phen i lawr. Mae fe'n
defnyddio hwn i neud yn siŵr bod y corneli'n gywir.
Ond mae'r holl beth yn ormod o waith, meddai dy dad ac
mae fe'n meddwl tynnu'r berth lan a doti ffens o bren lan
yn ei lle. Bob hyn a hyn mae dy dad yn iro'r gwellau 'dag
olew fel eu bod nhw'n agor a chau yn rhwydd ac mae
fe'n hogi ymylon y llafnau i'w cadw nhw'n finiog a llym.
Mae'n rhoi'r gwellau i gadw yn y garej gyda'i holl dwls
erill, pethau metal, 'arn: 'oelion, morthwylion, llifiau,
cynion, scriwiau, scriwdreifars; pethau seimllyd ag olew,

caled ac oer. Y garej yw hoff le dy dad. Mae fe'n treulio mwy o amser yn y garej tywyll nag yn y tŷ.

Wi'n gorffod disbyg yr holl ddail 'ma lan 'nawr sbo, meddai fe yn y gobaith y baset ti'n neud y gwaith, ond smo ti'n cynnig.

'Co pwy sy'n dod, meddai fe. Linda Morris.

Mae hi'n gwisgo porffor tywyll, fel arfer; mae hyd yn o'd ei chôt yn borffor.

Sut 'ych chi? meddai Linda wrth dy gyfarch di a'th dad.

Maen nhw'n cael clonc ac weti 'ny mae hi'n gofyn liciet ti fynd draw i gael te 'da hi a Mr Morris. Mae hi wastad yn gweud Mr Morris, byth yn gweud Merlin, fel 'se hi'n sôn am ddieithryn. Mae dy dad yn folon; felly, ti'n derbyn y cynnig. Ti'n ei dilyn hi i'r tŷ. Mae Linda'n gwisgo sent hyfryd. Wrth i chi fynd drwy'r drws mae hi'n gweud yn uchel –

Mr Morris! Mae ymwelydd 'da ni.

Weti 'ny mae hi'n hongian ei chôt borffor ar stand yn y pasej, wrth ochr côt frown a het frown ei gŵr.

Mae Mr Morris yn gweithio yn ei gell lan llofft, meddai hi. Dere i'r gecin 'da fi i neud te.

Ti ddim wedi gweld cegin debyg i hon o'r blaen. Mae silffoedd o lyfrau ar hyd y welydd. Mae Linda'n berwi tecell copor trydan hen ffasiwn ac yn neud te mewn tepot ac yn doti llestri tsieina a bisgis ar hambwrdd neu weitar ar y ford bren sy'n sefyll yng nghanol y gecin.

'Na fe, meddai hi ar ôl neud y te, elan ni â'r weitar 'ma i'r rwm gefnol.

Mae hyd yn o'd mwy o lyfrau yn y rwm hon, silffoedd ar silffoedd ohonyn nhw, a phentyrrau ohonyn nhw ar hyd y llawr, ambell bentwr yng nghanol y llawr. Mae hi'n dangos cadair freichiau i ti, mae hitha'n eista mewn cadair gyferbyn â ti sy'n gadael y soffa sydd â'i hanner wedi'i lanw â thirlithriad o lyfrau. Yr unig lun yw un mowr o Iesu Grist ar y groes.

Bydd Mr Morris yn dod lawr yn y man, meddai hi. Bydd diddordeb 'dag e i glywed ti'n siarad.

Lot o lyfre, meddet ti, sy'n sylw digon rhesymol.

O, o's, mae Mr Morris yn dwlu ar lyfre, a finnau.

Ac o'r diwedd dyma Mr Morris yn dod. Dyn ffein. A'r tri ohonoch chi'n mwynhau'r te, ar ôl i Mr Morris gadw dyletswydd fach, ac weti 'ny siarad am dipyn o bopeth drwy'r prynhawn, a tithau'n gweud dy hanes i gyd am fod Mr a Mrs Morris yn barod i wrando ar dy holl broblemau bach. A dyna ddechrau cyfeillgarwch.

Yn yr iard mae'r bechgyn yn whara 'Are you nervous?' Mae un yn eista'n grwmpachog ar stepen y tu ôl i'r lle cysgodi-rhag-y-glaw, ac un arall yn doti'i law ar ei draed i ddechrau ac yn gofyn, nervous? Os yw'r un sy'n eista ar y stepen yn siglo'i ben mae'r llall yn doti'i law nes lan ei goes. Bob yn dipyn a fesul cwestiwn mae'r llaw yn nesáu at y ceilliau. Ond mae'r rhan fwyaf o'r bechgyn yn cwpanu'u ceilliau yn eu dwylo cyn i'r llaw gydio ynddyn nhw; dyna amcan y gêm. Dim ond Dai Dunnock sydd ddim yn nerfus o gwbwl ac yn gadael iddyn nhw fynd reit lan i'w deimlo fe. Ond ti'n rhy nerfus cyn dechrau hyd yn o'd ac yn pallu whara'r gêm. Gafael mewn ceilliau, cydio ceilliau, timlo pidlen, cicio ceilliau. Ceilliau a phidlen a siarad am gamfflabats merched yw unig ddiddordeb y bechgyn yn iard yr ysgol — ar wahân i *scalectrix* a ffwtbol. Ond ti'n catw hyd braich a ti ddim yn dishgwl ar neb a does neb yn boddran 'da ti.

Mae Mr Phillips yn gofyn pwy sy ishe mynd gyda'r ysgol i Wlad Belg, Holand a'r Almaen. Mae fe wedi cyhoeddi pris y daith i ofyn i'ch rhieni gewch chi fynd. Mae pawb yn moyn mynd ag eithrio ti. Mae Mr Phillips yn eich annog chi i gyd i fynd. It will be a wonderful experience for you, meddai fe, and this will be the last thing we can all do together before we move on to our other schools.

Maen nhw'n neud hwyl am dy ben nawr achos ti yw'r unig un sydd ddim yn mynd ar y gwyliau gyda'r ysgol. Yn yr iard maen nhw'n gweiddi —

Welshy's parents can't afford it!

Ond smo ti wedi gofyn i dy dad na dy fam.

Mae lluniau ar y teledu ac yn y papurau o blant yn llwgu yn Biaffra. Mae *Blue Peter* wedi gofyn am barseli o wlân i'w helpu nhw. Ond alli di ddim diodde'r lluniau ohonyn nhw a'u coesau bach tenau a'u boliau mawr wedi whyddo a'r clêr yn cropian o gwmpas eu llygaid a'u cegau. Ar ôl gweld lluniau fel 'na alli di ddim byta dy fwyd, sy'n hala dy dad yn gandryll.

Be sy mater 'da ti? 'Co'r plant 'na'n llwcu a ti'n jibo at bopeth sy'n c'el ei ddoti ar y ford.

Ond nace gwrthod wyt ti, ond aiff y bwyd ddim lawr heb i ti dagu.

Felly mae dy fam yn mynd â ti i weld y doctor.

Mae fe'n pallu byta, doctor.

Ydy o'n bwyta rhywbeth?

Dim ond crisps a chips a wïe.

Rhowch grisps a chips a wyau iddo fo 'te.

Mae fe'n dishgwl yn dy lygaid, lawr dy lwnc, yn dy glustiau, yn doti'i stethesgôp o'r ar dy frest di ac yn gryndo arnat ti'n anadlu ac yn gofyn i ti weud Ââa wrth iddo ddishgwl yn dy geg.

Mae o'n edrych yn iawn i mi, meddai'r doctor. Chydig yn denau ella. Ond peidiwch â'i orfodi o i fwyta, o'r gorau? Mi ddaw o dros hyn.

Ond oti fe'n c'el dicon o ddioni yn beth mae fe'n byta, doctor?

Treiwch ei berswadio i gymryd stewed apples. Dyna beth rydw i'n galw staff of life. Stewed apples.

Heno mae dy fam yn neud afalau wedi'u stiwio yn arbennig i ti ac yn doti lot o siwgwr ynddyn nhw. Ac mae hi a dy dad yn dy watsio di a ti'n trio dy orau i fyta peth, ond unwaith ti'n teimlo'r afalau meddal ar dy dafod ti'n teimlo'n sic. Ond ti'n gaddo neud dy orau i fyta mwy o bethau o hyn ymlaen. Mae unrhyw beth yn well nag afalau wedi'u stiwio.

Ti yw'r unig grwtyn yn yr ysgol sy'n siarad Cymraeg yn nhre 'da'i dad a'i fam, ar wahân i blant rhai o'r athrawon a Paul, sydd mewn dosbarth arall ta beth. Base fe wedi bod yn well 'set ti wedi cael dy hala i'r Ysgol Gymraeg yn y pentre fel rhai o'th genderwydd a Manon a Mair. 'Na beth oedd dy fam yn moyn ond doedd dy dad ddim yn folon am ryw reswm. Mae rhai o'r swots yn trio siarad Cymraeg. Nace'r un peth â sisi yw swot ond maen nhw'n debyg ac mae'r naill a'r llall yn cael eu bwlio yn yr iard. Wrth gwrs, swot *a* sisi wyt ti. Ti ddim yn swot go-iawn wath dwyt ti ddim yn neud dim gwaith nac yn cymryd sylw o'r athrawon ond achos dy fod ti'n siarad Cymraeg a ti'n mynd i'r capel ti'n cael dy gyfri fel swot. Dro yn ôl neth y prifathro ofyn i ti 'set ti'n barod i ddarllen 'maid bach o'r Beibl yn Gymraeg yn yr asembli yn y bore. Fe wyddai fe dy fod ti'n siarad Cymraeg achos neth e siarad Cymraeg gyda dy fam pan ddeth hi i'r ysgol. Roedd hi'n amhosibl i weud Na wrtho. Pan wedest ti wrth dy fam dyma hi'n neud yn siŵr dy fod ti'n paratoi'n dda gan dy orfodi di i ddysgu'r darn I Corinthiaid XIII. Yna yn yr ysgol un bore dyma ti'n ei ytrodd: Pe llefarwn â thafodau dynion ac angylion… hyd y diwedd, heb un camgymeriad. Roedd yr athrawon wrth eu boddau a neth y prifathro ofyn i ti weud y cyfan o'r dechrau unwaith eto. Ond amser whara neth y bechgyn hwyl ar dy ben di a rheteg ar dy ôl di rownd yr iard yn d'alw di'n little Welsh poncey pansy ac yn jocan siarad Cymraeg: Ychi-wychi-pyll-pyll-chpwt, ac yn pwyri arnat ti.

Mae'r rhan fwya o'r plant wedi mynd i Wlad Belg, Holand a'r Almaen. O'r diwedd. 'Na gyd oedd hi dros yr wythnosau diwetha 'ma: y trip, y trip, y trip. Tipyn o newid o ffwtbol a *scalectrix* a cheilliau.

A nawr ti'n eu gweld nhw yn y coach ar y fferi yn croesi'r môr i Wlad Belg a'r llong yn taro mynydd iâ fel y *Titanic* yn y ffilm ar y teledu y noson o'r blaen 'da Kenneth More, a phob wan jac ohonyn nhw'n boddi. Glyg, glyg. Ta-ta! Gwell na hynny, ti'n gweld y bws yn

cyrraedd yr Almaen ac yn dringo mynydd ac ochrau serth
iddo, lan yr hewl igam-ogam droelliog, gan ara ddringo
rownd y llethrau a'u coed pîn. Ac yna mae'r brecs yn
torri, mae'r bws yn mynd dwmbwl dambal mas o reolaeth
fel car *scalectrix* lawr y mynydd, y plant yn sgrechian, yr
athrawon yn mynd i banic, Miss Corncrofft yn gweddïo,
neb yn gryndo arni, a'r bws yn taro carreg fawr ar yr hewl
ac yn disgyn, disgyn, disgyn, tin dros ben, unwaith,
dwywaith, tair, nes iddo lanio â'i ben i lawr yng ngwaelod
y dyffryn heb i'r un enaid gael ei achub. Y plant i gyd yn
siwps. Eu penglogau wedi mynd sblat fel wïe. Braich Janet
wedi cyfnewid lle â choesau Tim, afu Jennifer yn gymysg
â stumog Martin, llygaid Kelvin yng nghlustiau Dai a
cheilliau'r bechgyn i gyd yn rowlio ar hyd y lle fel
marblis.

Ddoe roeddet ti'n darlunio ar bishyn o bapur ar y ford yn
y gecin – tydi mewn ffrog goch, dy hoff liw, sgitiau coch,
mwclis, diemwntiau – pan gwmpodd y rwber ar y llawr a
rowlio o dan y cwpwrdd. Dim ond bwlch o ryw fodfedd
a hanner sydd rhwng gwaelod y cwpwrdd hwn a'r carpet.
Gallet ti weld y rwber ond allet ti ddim cael dy law i gyd i
mewn i'r hollt, dim ond dy fysedd. Wrth i ti dynnu'r
rwber mas gan ei ddal e rhwng dy fys a'th fawd daeth
crafanc, hir, tenau mas a trio gafael yn dy law. Neidiest
ti'n ôl. Du a chennog a seimllyd oedd e. Clywest ti'r
dannedd yn snapio dan y cwpwrdd.

Mae rhwpeth yn byw dan dy wely hefyd – mwy nag
un peth. Mae 'na bobol yn byw lawr 'na. Mae rhwpeth
yn byw yn y wardrob yn stafell dy dad hefyd, y wardrob
'da'r wyneb. Smo dy fam byth yn agor y wardrob 'na.

Hen hen ddillad sydd ynddo, meddai hi. A smo ti wedi meiddio'i agor e, er bod yr allwedd yn y drws-drwyn. Wedi'r cyfan, smo ti'n moyn cael dy flingo, nag wyt ti?

Ti'n gweud celwydda. Ti'n ffilu stopo. Ti'n gweud anwiredda wrth bawb. Wrth dy fam −

Wi'n dost, Mam, wi'n timlo'n sic ac mae llwnc tost 'da fi a phen tost!

Ti'n gweud anwiredda wrth dy dad o hyd ac o hyd −

Dad, mae rhwpeth yn crafu yn y garej, llycod wi'n cretu.

A mas â'th dad i'r garej.

Ti'n gweud anwiredda wrth Bopa Menna yn yr Ysgol Sul −

Wi'n gweld angylion, Bopa Menna, yn yr awyr uwchben y Greigfa.

Ti'n gweud celwydda wrth Paul

Wi wedi gweld camfflabats Cheryl.

Ti'n gweud lot o gelwydda yn yr ysgol wrth yr athrawon. Nawr, ti'n siarad 'to; dim ond celwydda sy'n dod mas. Weithiau mae pobol yn dy gredu di, weithiau nag 'yn nhw ddim. Neth dy fam hala ti i'r ysgol ond 'eth dy dad mas i ddishgwl yn y garej. Doedd Bopa ddim yn dy gredu am eiliad er ei bod hi wedi gweud stori wrthon ni am y milwyr yn gweld angylion yn martsio yn yr wybren yn Ffrainc. Roedd Paul ar y llaw arall yn dy gredu di − ti'n credu. Ond sdim ots a otyn nhw'n credu beth wyt ti'n gweud neu beidio, ti ddim yn gallu gweud dim byd nawr ond anwiredda a gweud y gwir. Mae'n well 'da ti gelwydda na'r gwir. A ti'n lico dwyn pethach hefyd: losin, siocledi a theganau o W'lworth yn benna. Mae 'na siop deganau yn y pentre a mae pawb yn dwyn rhwpeth o'r siop 'na ar y Satwrn cyn mynd i weld y *Matinee* yn y Coliseum. Ti'n dwyn daleks achos ti moyn mwy o daleks. Ac mae 'na soldiwrs a cowbois a cheir bach, ond smo ti moyn pethach fel 'na. Roeddet ti'n arfer mynd i'r *Matinee* bob dydd Satwrn gyda Paul ac wedyn yn mynd i'r siop i ddwgyd milwyr bach a cowbois plastig. Ond smo ti'n mynd gyda Paul, nawr. Ti'n eista ar dy ben dy hun, ac weti 'ny, ti'n mynd i W'lworth ac yn dwyn tiwb o finlliw, colur, lliwiau i'w doti ar yr amrannau.

Ond, wedyn, ti'n gweud anwiredda on'd wyt ti?

Gan ei fod e'n cael ei orfodi gan ei fam i ddod i'r capel ti'n gweld Paul yn yr Ysgol Sul bob wythnos. Does dim llawer o blant yn mynd, a Paul yw'r unig fachgen o'r un oetran â ti, felly maen nhw'n dishgwl i chi eista gyda'ch gilydd. Mae fe'n siarad â ti. Smo ti'n siarad ag e. Neu, o leia, nag o't ti'n mynd i siarad ag e byth eto, wath mae fe'n un o'r bechgyn yn yr iard yn yr ysgol sy'n d'alw di'n Welshy a Pansy. Ond mae fe'n grwtyn gwahanol yn yr Ysgol Sul. Mae fe'n neud ei orau i siarad â ti yn yr Ysgol Sul wath does 'na ddim bechgyn erill, dim ond ti. Mae fe'n gofyn i ti alw amdano fe ar dy ffordd i'r ysgol fel o't ti'n arfer neud (nag yw Gareth Davies a Paul yn boddran dod i alw amdanat ti nawr dy fod ti'n mynd yn rheolaidd).

Mae Paul yn cael gwersi gyda'r nos ddwywaith yr wythnos nawr gyda Miss Harris i'w helpu 'da'i syms i neud yn siŵr ei fod yn pasio'r lefen plys. Mae Paul yn swot, ond 'sneb yn neud hwyl am ei ben yn yr ysgol wath mae fe'n rhy fawr; mae fe'n eitha cnwbyn hefyd, heb fod yn dew. Smo fe'n cymryd dim dwldod.

Ti'n anobeithiol mewn syms a ti ddim ishe ffaelu'r lefen plys neu 'set ti'n gorffod mynd i'r Secondri Modern sy'n ysgol galed a'r bechgyn yn yr ysgol 'na i gyd yn fowr ac yn gas ac yn wyllt. Felly ti'n gofyn i dy dad gei di fynd i dŷ Miss Harris am wersi syms.

Nag 'yt ti'n c'el dicon o syms yn yr yscol 'na?

Otw. On' wi ishe mwy o help, fel Paul. A mae Mr a Mrs Morris dros y ffordd yn meddwl ei fod e'n syniad da.

O, maen nhw'n meddwl 'ny 'tyn nhw? Wel, wel, maen nhw'n gwpod popeth on'd 'yn nhw?

Ond mae dy dad a dy fam yn cytuno i ti gael cwpwl o wersi i weld sut mae'n mynd. Er bod Miss Harris yn gweud ei bod hi'n rhy ddiweddar, mae'r arholiad yn rhy agos, mae hithau'n caniatáu i ti gael cwpwl o wersi, gan dy fod ti dy hun wedi gofyn am rai, i weld a allith hi d'helpu.

Mae'r tŷ yn dywyll ac yn gwynto o lwch sych ac mae'r celfi'n frown tywyll. Mae Miss Harris yn gwisgo hanner sbectol fel yr hen Alec Douglas-Home. Mae hi'n gas ac yn llym. Mae hi'n d'adael di wrth y ford yn y rwm genol gyda lot o symiau i'w gweithio allan ac wedyn mae hi'n mynd i ffwrdd i ryw gilfachau yn ei hogof o dŷ. Yna mae hi'n dod yn ôl ar ôl hanner awr ac yn dishgwl dros dy walth ac yn gweud wrong, wrong, wrong, gan eu marcio gyda beiro coch. Maen nhw i gyd yn rong a chroes fawr goch ar bwys pob un o'th ymdrechion trucnus. Wedyn mae hi'n rhoi mwy o syms i ti ac yn mynd i ffwrdd eto. Ti'n digalonni. Alli di ddim gweithio nhw wath mae rhyw greaduriaid yn lewcan yn y corneli tywyll, yn y cysgodion dan y ford – pethau tebyg i stlumod brown a gwdihŵs a chorynnod gyda dannedd a llygaid mowr du. Ti ddim yn gallu gweld y creaduriaid hyn ond ti yn gallu gweld eu llygaid nhw a'u crafangau.

Mae Miss Harris yn mynd lan lofft i droi'n wrach. Daw yn ôl ymhen hanner awr ac mae'r rhan fwya o'r syms yn rong eto, ac eithrio un, a sdim clem 'da ti pam mae hwnna'n gywir.

You're hopeless, aren't you, boy, really hopeless you are.

Mae hi'n siarad Cymraeg 'da dy fam. A ti'n gorffod mynd wath mae'r amser wedi dod i ben. Diolch i'r drefn.

Ti'n galw i weld Paul wath mae'i dŷ yn yr un stryd o dai mawr ag un Miss Harris. Ond mae mam Paul yn gweud na chei di ddim sefyll yn hir gan ei fod e'n neud ei waith cartre i baratoi am y lefen plys.

Smo ti'n lico Miss Harris ond mae Paul yn gweud bod hi'n dda achos ei bod hi'n strigt. Ond dyna pam nag wyt ti'n ei lico hi.

Ar dy ffordd sha thre ti'n dechrau poeni am y lefen plys. Yn ofni methu a gorffod mynd i'r ysgol ofnatw 'na, yr un lle mae'r bechgyn yn frwnt ac yn gas wrthoch chi. Yna ti'n gweld criw o fechgyn o'ch ysgol chi ar gornel y stryd ac maen nhw'n dod i gwrdd â ti.

Where've 'ou been 'en, Welshy? 'S 'ave a look at 'ou copy book 'en.

Maen nhw'n sgaffo'r llyfr o'th ddilo di ac yn wherthin am ben y syms a'r marciau coch.

'E can' even add up. Kid's backward, m'n.

Maen nhw'n rheteg o gwmpas, yn dal dy lyfr uwch dy ben, jyst y tu hwnt i'th gyrraedd; bob tro ti'n mynd i afael ynddo maen nhw'n ei sgaffo'n uwch. Hyd yn o'd os wyt

ti'n neidio ti ddim yn gallu'i ddal e. Ac maen nhw'n dy
alw di'n Licl Welsh Thicko.

Ti'n trio cerdded yn dy flaen ond pan 'ych chi'n dod
i'r lôn gefn maen nhw'n dy fwrw di i'r llawr ac yn pwyri
ar dy wyneb. Licl Welsh Poof! Ond daw rhywun mas o
gefn un o'r tai ac mae'r bechgyn yn diflannu. Ti'n rheteg
sha thre a ti ddim yn gweud dim am y cleisiau, dim ond
dy fod ti wedi cwmpo ar y ffordd sha thre. Sy'n gelwydd
eto, ontefe?

Shwd eth y lesyns 'na? gofynnodd dy dad.

Smo fi moyn mynd 'to.

Ti oedd wedi gofnyd am lesyns a wi wedi talu
amdanyn nhw.

Smo fi moyn mynd 'to.

Austin A40 yw car dy dad. Mae'n well 'da ti'r hen
Hillman neu'r hen Wolseley oedd 'da chi o'r blaen, watlı
does dim digon o le yng nghefn hwn. Car bach cul yw e
ishta car tair olwyn er taw pedair olwyn sydd gyda fe.
Mae'r ochrau'n llwyd a'r to'n wyn ond ti'n lico'r seddau
coch. Mae'n teimlo fel bocs ac yn teimlo fel carbord ac yn
d'atgoffa o'r gân Little boxes, little boxes and they're all
made out of ticky tacky and they all live in little boxes
and they all look just the same. Car bach mas o dici taci
sy'n dishgwl fel bocs, 'na beth yw hwn. Ac mae dy fam
wastad yn conan am y drafftiau sy'n dod drwy'r ffenestri
bach trionglog ar yr ochor. Er eu bod nhw wedi cael eu
cau'n dynn mae drafft bach yn dod trwyddyn nhw o hyd,
meddai hi, ac mae hi'n clymu sgarff *chiffon* werdd dros ei
phen a'i chlustiau. Ond mae'i llicad yn dal i neud dagrau.

Un diwrnod mae dy dad yn gweud wrth dy fam –
Af i ag e am dro yn y car, i ti g'el rest bach.

Pam mae hi'n gorffod cael rest oddi wrthot ti, pwy a
wŷr? Wyt ti'n ormod o straen arni hi 'te? Felly mae dy
dad yn mynd â ti am dro yn y car a smo ti'n gwbod beth
yn y byd i'w weud wrtho fe, sdim clem 'da ti sut i siarad
'da dy dad. Sdim diddordeb 'da ti mewn sbort na trenau
na *meccano* na physgota na cheir – dim un o'r pethach 'na.
Aeth ef â ti i bysgota un tro. Ond nag oeddet ti'n deall y
pwynt o gwbwl. Dim amynedd 'da ti, meddai fe. A nawr
'ych chi'n mynd yn y car lan i'r mynyddoedd. Pam? I ble?
Chi'n cyfnewid ambell air, 'na gyd. Distawrwydd. Yr
hewl droellog, mynyddoedd, defaid sy'n dishgwl ishta
cerrig – wel cerrig ishta defaid – a defaid wedi marw ar
ochor yr hewl wedi'u lladd gan y ceir, tai ar slant lawr yn
y cwm nesa. Rhesi ar resi ohonyn nhw. Bocsys bach
wedi'u neud mas o dici taci a phob un ohonyn nhw yr un
sbit â'r un drws nesa. A phobol yn byw ynddyn nhw yn
watsio'r teledu, yn byta, yn canu, yn cecran, yn gweiddi,
yn mwrdro'i gilydd.

Mae 'da fi rwpeth i'dd ei weud 'tho ti, meddai dy dad
yn sytyn ar ôl iddo barcio ar ochor yr hewl ar dop y
mynydd. Mae'n bryd i ti g'el gwpod.

Be? meddet ti.

Na, sdim ots.

Be?

Na, sdim ots, paid â phoeni amdano.

A dyna fe'n starto'r car a chi'ch dou ar eich ffordd sha
thre unwaith eto.

Mae 'na ddrws bach sgwâr yn y nenfwd yn dy stafell wely, on'd oes 'na? Y noson o'r blaen cesot ti'r teimlad dy fod ti wedi mynd lan ac wedi mysgu'r bachyn sy'n cloi'r drws a dringo mewn. A dyna lle roeddet ti mewn twr o stafell bigfain, fel bod tu fewn i het gwrach, tebyg i garchar Rapwnsel, ond doedd 'na ddim ffenest fel y gallet ti ollwng dy blethen lawr er mwyn i'r tywysog gael dringo lan a d'ollwng di'n rhydd. Stafell hirdal. Gallet ti sefyll ynddi ond allet ti ddim gorwedd ar dy hyd ar y llawr, wath roedd hi'n rhy gul. Ar y naill ochor roedd 'na ddesg, ac y tu ôl i ddrws ar y dde roedd 'na stafell ymolchi fechan. 'Set ti wedi bod yn ddigon bo'lon sefyll yno am weddill d'oes. Ond agorest ti'r ddesg ac ynddi roedd 'na flwch o bren caboledig hardd ac addurniadau cywrain arno. Ti'n agor y clawr yn ara ara deg, yn betrus, yn boenus o ara. Ac yna dyma ti'n pipan mewn. Mae'n ofnadw be ti wedi'i weld ac yn dy fraw ti'n gadael i'r bocs gwmpo ac mae'n brwa yn yfflon ar y llawr maen clais ac mae'r hyn oedd ynddo'n rhowlio mas ac yn disgyn drwy'r twll lawr i dy stafell wely di.

Ti'n dihuno gefn trymedd nos ond ti'n pallu credu taw dim ond breuddwydio oeddet ti a nag oedd y pethau 'na ddim wedi digwydd go-iawn.

Rhaid dy fod di wedi lladd rhywun ac wedi cuddio rhannau o'i gorff yn yr atig 'na.

Ti'n gorwedd yn dy wely mor dawel ag y galli di ac yn moeli dy glustiau nes dy fod di'n gallu clywed cysgodion yn symud. Ond mae'r twll yn y nenfwd wedi'i gau yn sownd a'r bachyn yn ei le a ti wddot yn iawn does 'na ddim twr lan f'yna, dim ond yr atig a does dim desg yn yr atig. Dim ond llwch a chorynnod. A ti'n ofni corynnod, felly, 'set ti byth yn mynd lan i'r atig. Dy hunllef di neu f'hunllef i oedd hon'na, gweud?

Ble ti wedi bod 'te? gofynnodd dy fam.

Lawr at yr afon, meddet ti er i ti fod lan y parc.

A ble ti'n mynd nawr?

Lan y parc, meddet ti er dy fod ti'n mynd lawr at yr afon.

Roedd y dŵr yn isel ac yn glir, yn disgleirio dros y cerrig fel tlysau a darnau our ac arian yn yr houl. Gallet ti droedio sawl un o'r cerrig mawr llyfn nes i ti gyrraedd rhyw fath o ynys fechan o gerrig a safai uwchben y dŵr yn y canol, a gwneud hynny heb wlychu dy draed. Gallet ti weld bronwen yn pysgota ymhlith y cerrig a'r pyllau nes lan yr afon.

Yna, ar ochor arall y dŵr, ar y lan ochor draw, yn y perthi, ar wasgar ar hyd y llawr roedd 'na ddillad plentyn; cardi goch a botymau coch arni, trwser du, trafers glas tywyll a sanau gwyn, pâr o sgitiau brown. A rhwpeth cartrefol o gyfarwydd amdanyn nhw. Ti wddet ti fod y plentyn wedi cael ei gipio a'i lofruddio yn y coed. 'Se'r dillad wedi bod yn ddillad merch 'set ti wedi mynd â nhw, eu sychu nhw a'u gwisgo.

Troediest ti'r cerrig i wneud dy ffordd yn ôl, ond y tro hwn fe lithrest ti unwaith neu ddwy a gwlychu dy draed, nes i ti gyrraedd y lan yn sâff a cherdded weti 'ny gyda llif y dŵr lawr yr afon. Doedd neb o gwmpas. Tawlest ti gerrig bach crwn gan drio neud iddyn nhw ddawnsio unwaith neu ddwy, teirgwaith hyd yn o'd, dros wyneb y dŵr. Nes i ti feddwl taw peth twp a bachgennaidd i'w neud oedd hynny. Doedd neb yno a'r unig bethau a welest ti oedd beic rhydlyd y plentyn a foddwyd, esgid dyn neth amdano'i hun a siwtces hen ffasiwn wedi'i gwato dan y coed 'da darnau o gorff rhywun ynddo fe, ond nest ti mo'i agor e.

Yn annisgwyl un diwrnod deth Anti Megan, cnithder dy fam, i'ch gweld chi. Mae hi'n athrawes yn yr Ysgol Gymraeg lle'r aeth ei merched ei hun, yr efillod Manon a Mair. Gweinitog yw gŵr Megan, Wncwl Eifion.

Buon ni yn Eisteddfod yr Urdd ddoe, yn do fe ferched, meddai Anti Megan sy'n siarad yn hen ffasiwn iawn – nace yn hen ffasiwn comical ond hen ffasiwn fel ffasiwn sy'n hen ac wedi dyddio. A be naethoch chi, gweud wrth Anti Gwyn ac Wncwl Dai.

Nethon ni ennill y ruban am adrodd ar y cyd, medden nhw gan gydadrodd.

Mae Wncwl Eifion yn pefrio gan falchder ac yn dishgwl arnyn nhw drwy'i sbectol bowlen a'i locsyn gwe corryn.

Wel, wel, meddai dy fam. Wel do... Congra... (mae hi wedi anghofio'r gair llongyfarchiadau; bob tro mae hi'n gweld Anti Megan ac Wncwl Eifion mae'i thafod yn mynd yn glymau i gyd)... ardderchog.

Ydych chi'n mynd i adrodd nawr i'ch Modryb Gwyneth a'ch Ewythr David? meddai Wncwl Eifion drwy ridens ei locsyn o gwmpas ei wefusau.

A daw'r ddwy i sefyll yng nghanol y gecin a dechrau –

> Ganllath ogoparmynydd,
> pan oedd clych
> Eglwysi'r
> llethraungwahoddtuarllan...

Ac maen nhw'n neud sut siapsys a chlema 'da'u hwynepau mae 'da ti awydd wherthin. Prin dy fod di'n deall gair a ti'n gallu gweld wrth wynepau dy dad a dy fam a'u dwy wên dwp nag 'yn nhw'n deall dim chwaith.

> Digwyddodd... Maen nhw'n stopio,
> Darfu... Stopiant eto am getyn.
> Megiseren. WIB!

Bloeddiant y gair olaf gan siglo'u pennau a gwenu fel pencampwyr. Dy dad a dy fam yn clapo'n wyllt. Mae cwiddyl 'da ti.

Mae rhwpeth ofnadw o ddyddiedig am Anti Megan ac Wncwl Eifion, tua deng neu ician mlynedd ar ei hôl hi, eu dillad a'u gwallt o'r pumdegau, sbectol o'r pedwardegau, a'u ffordd o siarad o'r ganrif ddwetha. Ond mae'r merched yn bert er bod eu ffrogiau a'u sgitiau a'u sbectol a'u gwallt a'u sleidiau hwythau fel 'sen nhw'n dod o hen sioe gomedi. Serch hynny, mae 'na rwpeth peryglus o gall a gwybodus a direidus amdanyn nhw, a chrychau o gwmpas eu llygaid bywiog sy'n awgrymu'u bod nhw'n deall popeth ac yn neud hwyl am ben y cyfan. Fel 'sen nhw'n meddwl bod eu rhieni a phawb arall yn dwp. Mae Manon yn gallu whara'r piano a Mair yn gallu canu'r delyn.

Maen nhw'n neud yn arbennig o dda yn yr ysgol, meddai Anti Megan. Pam nethoch chi ddim hala fe i'r Ysgol Gymraeg?

Mae hwn yn hen gwestiwn ynglŷn â'r ysgol ac mae'n neud i dy fam a'th dad deimlo'n lletchwith am ryw reswm. A nawr mae mwy o gwiddyl 'da ti wath mae Manon a Mair yn gwenu'n dawel bach.

Ie, meddai dy fam, ond 'ych chi'ch dou yn whilia Cwmrêg dwfwn.

Sdim pwynt 'ala fe i Ysgol Gwmrêg, meddai dy dad sy'n gorffod cael ei big i mewn, mae fe'n whilia dicon o Gwmrêg 'da ni yn nhre, wath mae Gwyn a fi wastad yn arfadd whilia Cwmrêg 'da'n gilydd, on'd y'n ni Gwyn? A mae Gwyn yn myn' ag e i gwrdd bob dy' Sul, whara teg iddi. Ond smo Cwmrêg weti bod o unrhyw iws i mi mewn bywyd. Sisneg sy ise dyddie 'ma, ontefe?

O, mae Manon a Mair yn cael Sisneg hefyd, meddai Anti Megan. Maen nhw'n darllen llyfrau Sisneg wrth y pwys. Beth 'ych chi'n ei ddarllen nawr, ferched? Gweud wrth d'ewythr Dai.

Dwi'n darllen *The Lion, the Witch and the Wardrobe*, meddai Manon.

A dwi'n darllen *Swallows and Amazons*, meddai Mair.

Wrth gwrs, maen nhw'n darllen cruglwyth o lyfrau Cymraeg a chylchgronau Cymraeg hefyd, meddai Wncwl Eifion.

Ni wddet ti fod dim byd i gael yn Gymraeg ond y pethach diflas 'na yn y capel.

Yn nes ymlaen mae dy dad yn mynd ag Wncwl Eifion mas i'r garej ac mae Anti Megan yn moyn siarad gyda dy fam am Mam-gu a Bopa Annie-May, felly maen nhw'n gweud wrthoch chi'r plant i fynd mas i whara yn y cefn neu yn y lôn gefn ond i chi beidio â throchi'ch dillad. Mae Manon a Mair yn gwisgo maciau ysgol nefi blw, 'da bathodyn yr Ysgol Gymraeg arnyn nhw, ac yn dy ddilyn di fel dau gi bach er bod fflach o rybudd yn eu llygaid nhw.

Maen nhw'n byrlymu siarad drwy'r amser fel dau decell yn berwi'n ddi-stop, a phob gair, bron, yn Gymraeg. Maen nhw'n siarad mor rwydd ac mor ddwfn prin dy fod ti'n gallu dal popeth maen nhw'n ei weud.

Ych-a-fi, meddai Mair, dyw Manon a finnau ddim eisiau chwarae mas yn yr hen lôn front 'ma, nag 'yn ni, Manon? Rhag ofn inni fratu'n sgidiau newydd.

Mae'n well 'da ni chwarae gemau bwrdd yn y tŷ, meddai Manon.

Oes Monopoly gyda ti? gofynna Mair.

Na, meddet ti.

Nac oes, meddai Mair yn dy gywiro di.

Oes Cluedo gyda ti 'te?

Nag oes, meddet ti.

Beth am wyddbwyll? meddai Manon.

Dwyt ti ddim yn gweud dim, dim ond dishgwl arnyn nhw'n ddi-ddeall.

Gwyddbwyll, meddai Mari, neu chess i ti.

Nag oes, does dim wyddbwyll 'da fi, meddet ti gan neud dy orau.

Dim gwyddbwyll, meddai Manon.

Chwaraeest ti wyddbwyll erioed? mae Mair yn gofyn.

Mae gwyddbwyll 'da ti a ti wedi'i whara 'dag Alan nath ddangos sut oedd y darnau i gyd yn symud ond smo ti'n mynd i weud wrth Mair a Manon; maen nhw'n siŵr o ennill pob gêm, felly ti'n gweud –

Nag ydw.

Na-ddo! Na-*ddo*, meddai Manon dan wherthin, mae dy Gymraeg di'n ddoniol.

Oes unrhyw gemau 'da ti o gwbl? gofynna Mair.

Oes, meddet ti, snakes and ladders.

Seirff ac ysgolion, meddai Manon yn athrawes i gyd, neu nadroedd ac ysgolion.

Pam ysgolion wddot ti ddim; ti'n dechrau drysu ac yn ofni agor dy ben a gweud rhwpeth rong 'to.

Gwell na dim, meddai Mair yn flin. Gadewch inni fynd 'nôl i'r tŷ i chwarae.

Pryd gest ti d'eni? mae Mair yn gofyn a chithau i gyd yn y rwm genol.

Rhagfyr y cynta.

Ti'n un ar ddeg o hyd. Rydyn ni newydd droi deuddeg a Manon sy'n siglo gynta oherwydd mae hi'n dair munud yn hŷn na mi, wedyn y fi ac wedyn ti.

Mae Manon yn cael whech yn syth ac yn mynd lan yr ysgol (fel maen nhw'n galw'r 'ladders') gyda'i botwm coch, ac yn cael tro arall ac yn cael pump. Mae Mair yn cael pump hefyd tro cyntaf ac yn mynd lan yr ysgol gyda'i botwm glas. Ti'n cael tri ac mae dy fotwm melyn yn mynd yn syth i mewn i geg neidr fach dew a 'nôl i'r dechrau.

Wyt ti'n hoffi'r ysgol? gofynna Mair – siarad am yr ysgol go-iawn mae hi nawr nid am y rhai bach ar y bwrdd.

Nag ydw, dwi ddim yn lico'r ysgol.

Hoffi sy'n iawn, ontefe Manon, nid lico.

Rydyn ni'n dwlu ar yr ysgol, meddai Manon.

Maen nhw'n dringo'r bwrdd ar hyd yr ysgolion yn hawdd ond rwyt ti'n bwrw i mewn i'r seirff o hyd a ddim yn symud yn bell.

Be sy'n bod 'te? Pam dwyt ti ddim yn hoffi'r ysgol?

Achos mae'r bechgyn yn neud sbort ar 'y mhen i o hyd.

Twt, bechgyn, meddai Mari gan siglo'r deis yn ffyrnig, fel 'se fe'n rhywun mae hi'n ei gasáu, ac yn benderfynol o ennill.

Ti'n gwbod beth rydyn ni'n gweud wrth y bechgyn os maen nhw'n ein pryfocio ni? gofynna Manon.

Na, meddet ti. Nag ydw. Beth?

R'yn ni'n gweud piss off wrthyn nhw.

Ti'n synnu eu clywed nhw'n siarad fel 'na wath mae tad Manon a Mair yn weinidog, ac maen nhw ill dwy mor berffaith-gywir fel arfer, ti'n ffaelu credu dy glustiau.

Pam maen nhw'n neud hwyl am dy ben di? gofynna Mair.

Achos wi'n siarad Cymraeg, meddet ti heb weud dim am y problemau eraill.

Maen nhw'n neud hynny i ni yn ein hysgol ni hefyd, meddai Manon.

Ond r'ych chi'n mynd i Ysgol Gymraeg.

Ydyn, ond mae lot ohonyn nhw'n sbeitlyd ac yn hoffi'n poeni ni achos r'yn ni'n siarad Cymraeg 'da'n gilydd. Ond sdim ots 'da ni. Rydyn ni'n genedlaetholwyr, meddai Manon.

Fel Gwynfor Evans, meddai Mair.

Ti ddim yn eu deall nhw ac yn ofni gofyn beth yw cenedlaetholwr ond ti'n edmygu'r ddwy ac yn moyn bod yn ddwy ferch fel Manon a Mair. Ti'n dishgwl arnyn nhw

ond ti ddim yn gallu gweld dim gwanieth amlwg
rhyngddyn nhw. Ac maen nhw mor ddewr a chlyfar a
d'yn nhw ddim yn ofni'r bechgyn o gwbwl.

Paid â syllu fel 'na, meddai Manon, dydyn ni ddim yn
ffrîcs.

Ti'n debycach i ferch nag i fachgen on'd wyt ti?
meddai Mair. Ti'n sy'n ffrîc.

Yn sytyn ti'n mynd i'th gragen.

Iefe dyna pam maen nhw'n dy boeni di? meddai Mair.

Dyna pam, ontefe? meddai Manon.

Ti'n gweud dim ond maen nhw'n gwbod. Ti'n ofni
agor dy bill achos mae'r ddwy yn siarad Cymraeg dwfwn.
Ond yn yr ysgol ti'n ofni agor dy bill achos mae'r
bechgyn yn d'alw di'n Welshy.

Fi sydd wedi ennill, meddai Mair yn fuddugoliaethus.

Nag oes rhwpeth gwell 'da ti na'r gêm dwp 'na?
gofynna Manon sy'n pwdu achos mai'i whaer sydd wedi'i
churo 'ddi.

Draughts, meddet ti.

Dim ond dau sy'n gallu chwarae hyn'na.

Gadewch inni siarad 'te, meddai Mair.

Ond mae dy dafod ti'n glymau.

Oes unrhyw lyfrau 'da ti? gofynna Mair.

Na.

Nag oes, meddai Mair yn ddiamynedd. Mae Manon a
finnau'n hoff iawn o waith T Llew Jones ac Islwyn Ffowc
Elis achos mae Tada yn eu nabod nhw ac wedi'u cael nhw
i lofnodi ein copïau o'u llyfrau nhw. Dwi wedi darllen
Cysgod y Cryman, ddwywaith a nawr dwi hanner ffordd
trwy'r llall.

Gad dy gelwydd, meddai Manon yn siarp, ti ddim

wedi darllen y naill na'r llall. Nest ti ddechrau *Cysgod y Cryman* a rhoi'r ffidil yn y to ar ôl ugain tudalen achos roedd hi'n sych a diflas wedest ti.

Maen nhw'n gwbod popeth am ei gilydd. Mae hi fel bod yn un person mewn dau gorff.

Ble maen nhw? meddai Manon yn bigog. Dwi ishe mynd nawr. Dwi wedi cael llond bol yma.

Paid â bod yn ddraenogllyd, Manon, meddai'i whaer.

Wel, mae hyn yn ddiflas. Dwi ishe mynd.

Cau dy ben, Manon!

Mae distawrwydd anghyfforddus am getyn. Ti'n rhy betrus i weud sill rhag ofn i ti neud camgymeriad a swnio'n dwp; Manon ar bigau am ei thad a'i mam; Mair yn meddwl am rwpeth yn dawel bach.

Mae Manon mewn cariad â bachgen yn ein hysgol ni.

Paid, Mair!

Ieuan Prosser yw'i enw. Ei dad yn ddeintydd.

Paid!

Bachgen 'da gwallt du fel y frân. Mae hi'n dwlu arno fe.

Paid Mair. Mae Mair yn cael hunllefau. Mae hi'n crio yn y nos achos r'yn ni wedi bod yn darllen comics am Frankenstein ac mae lluniau ynddyn nhw ohono fe 'da bollt drwy'i gorn gwddw fe.

Yn sytyn mae'r sefyllfa wedi newid.

Dracula a'r Mummy, meddai Manon gan sawru'r enwau.

Paid, Manon, paid â sôn am bethau fel 'na, ych-a-fi!

Maen nhw'n cerdded yn y nos, eu llygaid yn farw, gwaed ar eu dannedd.

Paid, o plîs paid, Manon.

Mae Mair yn crio, bron yn sgrechian; mae braw yn ei llygaid. Cydia ym mraich ei wh'er ond mae honno yn ei hanwybyddu.

Maen nhw'n dod mas o'u beddau yn y tywyllwch. Mae wyneb Frankenstein yn wyrdd a wyneb Dracula yn wyn i gyd, ond mae gwaed coch yn driflan o'i geg e.

Na! Na! Manon!

Mae Mair yn stwffio'i bysedd i'w chlustiau ond mae Manon yn tynnu un llaw i ffwrdd ac yn gorfodi'i whaer i wrando. Gwaedda i mewn i'w chlust.

Maen nhw'n dod i chwilio amdanat ti, Mair. Wel, dyna ni 'te, meddai Manon yn llym. Paid ti â sôn am Ieuan Prosser eto. Dwi ddim yn ei garu fe o gwbwl. Iawn!

Iawn, meddai Mair.

Mae'r ddwy'n eistedd wrth ochr ei gilydd ar y soffa, yn grac.

Yna mae'r ddwy'n troi fel un, ac yn drychyd arnat ti a nag wyt ti'n deall pam.

Ble ti wedi bod? Dy fam yn gofyn.

Draw i weld Linda a Mr Morris.

Sawl gwaith 'yt ti wedi galw arnyn nhw yr wythnos 'ma, gweud?

'Mbod.

Wel fe weta i wrthot ti sawl gwaith   gormodd o weithia. Paid ti â mynd rhy amal neu chei di ddim croeso 'da nhw. Mae Mr Morris yn diodde 'da nyrfs, cofia.

Mae Linda'n moyn i fi alw.

Linda? meddai dy fam yn syn. Pa hawl sy 'da ti i'dd ei galw hi'n Linda?

Hi sy'n gweud wrtho i, 'Paid â gweud Mrs Morris, gweud Linda'. Ond mae hi'n galw Mr Morris yn Mr Morris.

Dywa i draw 'da ti nawr, meddai dy fam yn clymu sgarff am ei phen wath roedd ei gwallt yn annipen a'r peth nesa dyna chi'n sefyll yn cnoco wrth y drws.

Linda atebodd; roedd hi'n gwisgo'i dillad porffor fel arfer.

Mae'n flin 'da fi'ch trwplu chi, meddai dy fam, ond wi jyst ishe neud yn siŵr bo chi'n folon fod y crwtyn 'ma'n dod draw i'ch gweld chi o 'yd.

Otyn, 'tyn, meddai Linda gan dynnu'i chardi borffor rownd ei gwddw. D'yn ni'n berffaith fodlon.

Chi'n siŵr nag yw e'n niwsans?

Dim o gwbwl. Mae Mr Morris yn lico gryndo arno fe'n siarad.

Siarad? Wel 'na peth od. Smo fe'n acor 'i bill yn nhre, ddim yn amal ta beth.

Ddewch chi miwn am ddishgled o de?

Dim diolch, meddai dy fam gan ddechrau croesi'r stryd. Sdim amser nawr. Ond, diolch yn fowr i chi.

On'd yw hi'n fenyw neis? meddai dy fam 'nôl yn y gecin yn sgardo tatws.

Mae Linda a Mr Morris yn bobol neis iawn, meddet ti.

Dydd Sul dwetha aethoch chi i weld Mam-gu. Roedd lot o bobol 'na, fel arfer: Bopa, Wncwls, Antis, cenderwydd, cnithderwydd a phawb yn siarad dros ei gilydd ac yn yfed te, y dynion yn smygu, a Mam-gu yn eista yn eu canol nhw i gyd.

Yn ddistaw bach dyma hi'n troi atat ti ac yn gweud rhwpeth, yn d'alw di ati hi. Neth neb arall ei chlywed hi, dim ond tydi, wath doedd neb yn gryndo.

Dere 'ma, meddai hi, dere 'ma, 'merch i.

Chlywodd neb arall gan eu bod nhw i gyd yn clebran yn uchel. 'Na gyd neth hi ar ôl i ti fynd ati hi oedd anwesu dy ben a doti'ddi hen law o'r a chnotiog ar dy wegil di. Er bod ei bysedd yn salw, ishta darnau o bren, roedd ei chroen yn dyner. A 'na gyd nest ti am sbel oedd sefyll yna, dan ei llaw 'ddi, ar bwys ei chatair, a phawb arall yn ferw o'th gwmpas, a chi'ch dou'n tawel ddeall eich gilydd heb eiriau.

Ac yna, jyst cyn i chi adael, neth Mam-gu beth anghyffretin iawn; fe gusanodd di ar dy dalcen. 'Na'r tro cynta i ti gael dy gusanu gan neb hyd y cofia di, ontefe? Ac yna, unwaith eto, pan o't ti'n hwylio i ymadael gyda dy dad a dy fam, dyma hi'n gweud, Ta-ta, merch i. A ti ddim yn cretu fod neb arall wedi clywed ei geiriau 'ddi.

Yn y car ar y ffordd sha thre roeddet ti'n gweud yn dy feddwl, Mam-gu yn deall, Mam-gu yn deall, drosodd a throsodd, ond yn ffaelu cretu'r peth. Rhywsut neu'i gilydd roedd dy fam-gu wedi llwyddo i ddishgwl trwy'r croen, heibio'r benglog ac i mewn i ti dy hunan a gweld nace bachgen oedd yno ond merch, sef tydi, dy wir di. Sut oedd hi'n gallu neud 'ny? Walle taw gwrach oedd hi. Roedd hi wastad yn debyg i wrach, i ti, yn ei hen ddillad du hen ffasiwn.

Ar y pryd nag o't ti'n deall sut oedd Mam-gu wedi gallu darllen dy du fewn di, ond heddi ti'n gwpod.

Yn y bore cesoch chi neges gan Mrs Parry, yr unig berson yn y stryd sydd â teleffôn, yn gweud bod Mam-gu wedi marw'n dawel yn ei chwsg neithiwr. Roedd hi'n eighty seven, meddai dy fam.

Ti'n cretu nawr ei bod hi wedi cael rhyw weledigaeth achos roedd hi'n mynd i farw. Y gallu i weld yn glir. Y gallu i weld i mewn i bobol, walle.

Roedd dy fam fel 'se hi'n dishgwl i ti lefain fel oedd hi'n neud pan wetws hi wrthot ti fod dy fam-gu weti marw. Ond nag o't ti'n timlo fel llefain o gwbwl.

Mae'r papurau'n llawn storïau am y Moors Murderers, ac mae pawb yn siarad amdanyn nhw: yn yr ysgol, yn y capel, yn y pentre. Ti wedi bod yn gryndo. Gŵr a gwraig 'yn nhw sy'n mynd o gwmpas ac yn sgaffo plant bach ac yn mynd â nhw i'r mynyddoedd ac yn eu clymu nhw i goeden ac yn eu sgardo nhw. Mae gen'yn nhw lygaid sy'n llosgi mewn i chi ac yn eich hypnoteiddio chi ac weti 'ny chi'n gorffod neud beth bynnag mae'r gŵr a'r wraig 'ma'n gweu'thoch chi achos mae trydan yn dod mas o'u llygaid fel sy'n dod mas o freichiau'r daleks ac yn eich troi chi'n zombie. Maen nhw'n dwgyd plant ac yn gadael eu dillad a'u beiciau ar lan yr afon. Mae'r storïau hyn yn hala ofon ar bawb yn yr ysgol, nenwetig y merched. Mae'r prifathro wedi siarad â chi yn yr asembli a gweud does dim ishe poeni ond i chi beidio â siarad â neb d'ych chi ddim yn nabod.

Ti'n ofni cael dy ddal, wrth gwrs, ond ti'n catw dy lygaid yn agored amdanyn nhw bob amser. Un diwrnod yn y pentre dyma ti'n dechrau timlo'n ofnus ond ddim yn gwbod pam. Ro't ti'n ofni'r holl bobol ar y stryd yn cerdded o gwmpas a'r ceir a'r ffenestri a'r siopau a'r

mwstwr a'r awyr hefyd, yr awyr oedd yn mynd lawr dy
lwnc di a lan dy drwyn di. Roedd popeth yn hala ofon
arnat ti. Roeddet ti'n teimlo bod pawb a phopeth yn
ofnatw o beryglus. Yn ofni sefyll mewn un man ac yn
ofni symud hefyd. Mae'n gafael yn dy goesau a'th
ysgwyddau, yn troi dy draed yn blwm, dy dafod mor sych
a thew â matras. Ti'n mogi. Mae rhwpeth ofnatw yn y
pentre.

Ond beth os yw dy fam a'th dad yn llofruddion heb yn
wybod i ti? Y gorila-dad a'r gorila-fam. Licet ti ofyn i
rywun, oti 'nhad a mam yn debyg o'n lladd i yn 'y
ngwely gyda'r nos? Alli di ddim gofyn i dy dad na dy fam
rhag ofon eu hala nhw'n grac ac wetyn bydden nhw'n
siŵr o dy ladd di. Alli di ddim gofyn i neb yn yr ysgol
wath nag wyt ti'n siarad â neb 'to. Alli di ddim gofyn i'r
athrawon achos rwyt ti'n ofni pob un ohonyn nhw.
Nenwetig y dynion ond nenwetig y menwod hefyd. Alli
di ddim gofyn i Siân rhag ofon iddi weud wrth Dad a
Mam. Mae dy ben di'n troi gyda'r cwestiwn 'ma o hyd ac
o hyd.

Be sy'n stopo dy dad a dy fam rhag dy ladd di? On'd
wyt ti wedi meddwl am eu lladd nhw sawl gwaith yn
ddiweddar? Wedi meddwl doti diferyn o wenwyn yn y
grefi. A 'taet ti ond yn gwbod lle i gael gwenwyn walle
'set ti wedi'u lladd nhw cyn hyn.

Weithiau smo ti'n siŵr taw nhw otyn nhw, taw dy dad
a dy fam yw'r bobol 'ma ti'n galw'n dad ac yn fam a dim
pobol erill yr un sbit â nhw sydd wedi cymryd eu lle nhw.
Maen nhw'n ymddwyn fel dy dad a'th fam, ond mae 'da
ti whilen o amheuaeth yn dy ben. Ac os nag 'yn nhw'n
fam a tad i ti pwy 'yn nhw a ble 'eth dy fam a dy dad go

iawn? Walle fod y ffug-dad a'r ffug-fam 'ma wedi'u lladd nhw a'u claddu nhw ar y mynydd.

Y peth gorau i'w neud, ti'n cretu, yw i ti gatw'r meddyliau hyn i ti dy hun, fel ti'n neud gyda'r ffaith dy fod ti'n ferch mewn corff bachgen.

Dyna pryd y gwelest ti ffigwr person cyfarwydd drwy gil dy lygad. Roedd e'n ddigon pell i ffwrdd. Ond roeddet ti'n adnabod ei siâp mawr trwm, ei sbectol drwchus, ei wallt coch annipen. Sefyll oedd e yn dishgwl drwy'r dorf arnat ti.

Shwd 'eth yr egsam? gofynna dy fam.

Iawn.

'Na gyd sydd 'da ti i weud, iefe?

Ie.

Be sy mater? Ti wedi bod yn crio?

Mae hi'n cydio yn dy ên ac yn drychyd ar dy wyneb ac mae'n amlwg iddi hi wrth y marciau ar dy ruddiau dy fod ti wedi bod yn llefain.

Ti ddim weti bod yn becso am yr egsam 'ma nag 'yt ti?

Nagw i.

Gweud tha' i, gweud wrth dy fam.

A gorila-fam neu beidio, ffug-fam neu beidio, ti'n cytsio rownd 'ddi ac mae'r argae'n torri ac yna ti'n dechrau mysgu dy becyn gofidiau a gweud sut mae Egwan wedi dy fygwth di gyda'r gwn yn ei ges ac fel neth e dy gloi di yn y tŷ bach yn y festri nes i Mr Watkins ddod a gadael ti mas a fel neth e drio dy 'ala di i mewn i'r sièd 'na a nest ti reteg i ffwrdd a deth Linda a Mr Morris o hyd i ti yn crio ac fel neth e dy alw di'n licl basdad.

Pwy oedd e?

Ewan, meddet ti, Ewan Jones.

A'r noson honno aeth dy fam a dy dad draw i alw ar
Mr a Mrs Jones.

Dwi'n lico'r gair pobl, pobol, ond dwi ddim yn lico pobl.
Dim ond y gair. Dwi'n lico'r gair duffle, ar gôt dwffl mae
toggles. Dwi'n lico spangles a bangles. Dwi'n lico'r gair
Gogoniant, gair mae'r pregethwyr yn ei ddweud weithiau,
gair sy'n codi mewn gweddi ac emyn. Dwi'n lico whippet
a poodle a puppy, a'r gair popeth, a'r gair bopa. Nid wy'n
gofyn bywyd moethus our y byd a'i berlau mân. Efengyl
tangnefedd ehed dros y byd. Gras ein Harglwydd Iesu
Grist. I bob un sy'n ffyddlon dan ei faner Ef mae gan Iesu
goron fry yn nheyrnas nef. Gwlad beirdd a chantorion
enwogion o fri – dyna un arall o'm hoff eiriau, enwogion
– Pe llefarwn â thafodau dynion ac angylion. Angylion, un
arall o'm hoff eiriau; ydyn nhw'n fenywod neu'n ddynion,
ys gwn i? Ni ŵyr neb. Dwi'n lico neb hefyd. Y gair neb.
Iesu tirion gwêl yn awr blentyn bach yn plygu lawr. Y
pethau hyn a'm gwnaeth i'n ieithgi – yn dafodieithgi'n
benodol. Plycu neu plyci, hyd yn oed, dyna beth rwyt ti'n
ei ddweud, ontefe? Plentyn bach yn plyci lowr. Dod ar fy
mhen dy sanctaidd law o dyner Fab y Dyn. Mab yn air
neis hefyd. Meb mae dy fam yn dweud – otych chi weti
gweld y meb? Mae'r byd yn llawn geiriau hyfryd. I bob
un sy'n ffyddlon – bob a ffyddlon, geiriau hyfryd. Iesu,
Iesu, rwyt ti'n ddigon. Hen ddicon, meddai dy dad. Ble
ma' fa? Wi weti c'el 'en ddicon. Pererin wyf mewn anial
dir. Pererin. Dyna fy hoff air, efallai. Pererin wyf mewn
anial dir yn crwydro yma a thraw mewn spangles a

bangles a toggles a choron our gyda pherlau mân ynddi ar fy mhen. Pererin wyf. Yr wyf fel efydd yn seinio neu symbal yn tingcian. A phe byddai gennyf broffwydoliaeth a gwybod ohonof y dirgelion oll a phob gwybodaeth a phe bai gennyf yr holl ffydd fel y gallwn symudo mynyddoedd a heb gennyf gariad nid wyf i ddim. O dyner Fab y Dyn. Plentyn bach yn plygu lawr. Plyci. Plyci lawr.

Daeth y llythyr yn y bore.

Na, meddai dy fam, smo ti wedi pasio.

Dyna ni, felly, does dim dewis. Bydd rhaid i ti fynd i'r ysgol ofnatw ofnatsan 'na. Ond ti ddim yn mynd i grio, smo ti'n gilgi, ta beth wyt ti. Ti'n codi caer yn dy lwnc ac yn cadw dy ddagrau yno. Mae dy fam yn neud ei gorau i dy gysuro di. Ond nace dy fam yw hi. Ti'n teimlo methiant fel clawr o 'arn yn dod lawr ac yn cau'n glep ar dy ben di. Dyw e ddim yn gadael dim un smic o oleuni gobaith i mewn. Du yw'r dyfodol.

Paid â phoeni, meddai hi dy ffug-fam. Cer i'r ysgol, meddai hi, ti'n gorffod mynd.

Ar y ffordd ti'n galw ar Paul, wath mae wedi mynd yn hen arfer 'to, galw ar Paul ar y ffordd i'r ysgol.

Maen nhw'n aros am y post o hyd wath mae'n ddiweddar yn cyrraedd eu tŷ nhw ac mae Mrs Griffiths, mam Paul, ar bigau. Ti'n gweud wrthi dy fod ti wedi methu.

Paid â phoeni, meddai Mrs Griffiths yn garedigrwydd i gyd, maen nhw'n dda iawn yn yr ysgol secondari modern 'na ac mae lot ohonyn nhw'n neud cystal os nag yn well na'r rhai sy'n mynd i'r ysgol ramadeg.

Ar hynny mae'r post yn dod. R'ych chi'n eista yn y gecin ond mae drws y pasej yn agored ac r'yn ni'n gallu clywed clinc y blwch llythyron ac yn gweld yr amlen yn llithro trwyddo i'r llawr. Mae Paul yn rheteg ati ac yn ei sgaffo cyn iddi gyrraedd y llawr, bron, ac yn rheteg yn ôl â'i wynt yn ei ddwrn.

Agor e, Mam, agor e cwic.

Mae Mrs Griffiths yn agor yr amlen yn y gecin, ei llaw yn crynu iâr-fach-yr-haf, ei hwyneb yn wyn. Mae Paul yn doti'i ddilo wrth ei gilydd, yn gweddïo, yn cau'i lygaid, yn cnoi'i wefus.

O! mae fe wedi pasio!

Mae hi'n cusanu Paul ac mae'r ddau'n neidio lan a lawr ym mreichiau'i gilydd nes bod eu hwynebau'n goch a mae Mrs Griffiths yn hapus dros ben, mor hapus nes ei bod hi'n llefain, rhaeadrau o ddagrau ar ei bochau cochion. Mae hi'n mynd, whap, mas i'r gecin gefn ac i'r ardd gefn ac yn gweiddi dros y wal at y cymdogion drws nesa —

Mae Paul ni wedi pasio! Wedi pasio!

Gweiddi y mae hi er mwyn i'r stryd i gyd glywed, a gweud y gwir.

Daw yn ôl weti 'ny i'r gecin dan sychu'i llygaid, ei gwên yn cracio'i hwyneb. Dyna'r tro cyntaf i ti weld rhywun yn wherthin ac yn crio, ishta glaw trwm ar ddiwrnod heulog, ar yr un pryd.

Yna dyma hi'n sylwi arnat ti ac yn cofio dy fod ti yno.

Sori, meddai hi, sori nag wyt ti ddim wedi pasio hefyd. Ti'n siŵr o neud yn iawn, cei di weld. Smo hi'n ddiwedd y byd, cofia.

Ddim yn ddiwedd y byd i ti mae hi'n feddwl, wrth sychu'i thrwyn sy'n rheteg o hapusrwydd ac er ei bod hi'n cydymdeimlo ac yn trio bod yn garedig ac er ei bod hi'n gallu gweld dy siom ar dy wyneb, wedi'r cyfan rwyt ti'n dalp o siom; dyw dy fethiant di ddim yn ddiwedd y byd iddi hi chwaith. 'Se Paul wedi methu nawr, 'se hi wedi bod yn ddiwedd y byd.

Felly, r'ych chi'n cerdded i'r ysgol. Paul wedi pasio. Tydi wedi methu.

R'ych chi'n cerdded, fel arfer, ochor yn ochor. Ond mae cyfandir wedi codi rhyngoch chi.

Mae fe'n sgipio wrth gerdded ac yn gwenu heb yn wybod iddo ef ei hun.

R'ych chi'n cyrraedd iard yr ysgol yn gynnar cyn i'r gloch ganu. Mae'r disgyblion yn ymrannu'n ddwy garfan; rhai hapus sy'n gwenu o glust i glust sy'n siarad am y dyfodol lle maen nhw'n byw yn barod, lle mae'r haul yn gwenu, lle mae hyder yn geirios ar deisennau hufennog eu llwyddiant; mae'r lleill yn cysuro'i gilydd dan gwmwl eu siomedigaeth, gan drio perswadio'i gilydd na fydd yr ysgol 'na ddim mor ofnadw â'r hyn mae rhai'n honni'i bod hi. Mae Paul yn ymuno â'r rhai hapus; dyna'i deilwng le. Mae rhai o'r merched aflwyddiannus yn crio'n agored, ond maen nhw'n cofleidio'i gilydd hefyd. Mae'r bechgyn aflwyddiannus i gyd yn brwydro'n ddewr yn erbyn y dagrau.

Mae'r collwyr yn taflu cipolwg bob hyn a hyn draw at y rhai sydd wedi pasio. Ond dyw'r rhai llwyddiannus byth yn edrych ar y lleill, rhag ofn bod methiant yn heintus.

Ti'n casáu'r ysgol ac fel cosb am ei chasáu ti'n gorffod mynd i ysgol sydd waeth.

Dyma dy gyfle i reteg i ffwrdd. Ti'n rheteg fel y gwynt, ti'n gwisgo'r ffrog o rosynnod porffor a'r bais las, ti'n gwisgo bangles a spangles, dy bwdl wrth dy draed. Ble wyt ti'n mynd? Ddim sha thre at y ffug-fam a'r ffug-dad, y gorilas sydd wedi cymryd lle dy rieni go-iawn.

Dyna'r tro olaf iddo gael ei weld yn fyw.

Daeth dy fam draw, 'Otych chi weti gweld 'y meb?' gofynnodd hi.

'Na,' meddai Linda.

Aeth tri diwrnod heibio.

'Hen ddicon,' meddai dy dad wrth ei gymdogion a'r heddweision yn y stryd, ei lygaid yn wlyb ac yn goch, 'Ble ma' fe? Wi weti c'el 'en ddicon.'

Yna, cafwyd ei gorff lawr wrth yr afon. Pennawd tudalen blaen y papur lleol yr wythnos honno oedd –

Murder Probe. Dead Boy, 11, Dressed as Girl.

Arestiwyd Ewan Jones, 16 oed, dan amheuaeth. Cyflawnodd hunanladdiad drwy'i grogi'i hunan yn y ddalfa.

Dros ddeng mlynedd yn ôl.

Tydi aeth i agor y drws iddo. Y bore hwnnw. Tydi yn dy ddillad porffor, fy hoff liw.

Torrodd y curo ffyrnig, taer wrth y drws drwy'r bore. Torrodd, fel cyllell, ar draws fy myfyrdod ac ar draws fy mywyd. Curo gwyllt, gwallgof. Ai ti oedd yno wedi dod adre o'r gwaith yn dost – fel yr oeddwn i wedi ofni, cynifer o weithiau, y buaset ti'n siŵr o wneud, yn hwyr neu'n hwyrach, gan fy nal i yno, fel 'na? Mentrais at y ffenestr yn stafell wely'r rwm ffrynt ac edrych lawr. A dyna lle'r oedd e, yn dyrnodio'n drws ni â holl nerth ei ddwylo bach. Y crwtyn o'r tŷ ochor draw. Ein Cymro bach ni. Yr un a ddaethai'n ffrind i ni'n dau ac a ddywedasai, mewn tameidiau bach, holl stori'i fywyd. Daethost ti'n ddirprwy-fodryb iddo. Ac i mi – wel, astudiaeth mewn tafodiaith oedd e. Fy mhrosiect. Ei iaith ef oedd fy iaith i. Ei fywyd, oedd fy mywyd i. A lle roedd 'na fwlch yn ei stori, ei lenwi wnes i â'm stori i. Fy mywyd i oedd ei fywyd ef. Impiais atgofion plentyn y chwedegau ar dudalen wen plentyn y nawdegau. Curo ar y drws oedd e – mi wn mai 'curo wrth' y drws sy'n gywir – ond yn dechnegol curo ar y drws oedd e am ei fywyd.

Dyma'r cyfle.

Ond tydi agorodd y drws iddo. Wedi gwisgo, yn ôl d'arfer yn dy ddillad porffor, yn ôl ein cytundeb ni. Rhaid i ti wisgo dillad porffor bob amser.

Wel, wel? Be sy'n bod 'machgen i?

Yr ysgol! meddai dan ician drwy'i ddagrau, wi byth yn myn' yn agos at yr ysgol 'na byth eto!

Un cipolwg lan a lawr y stryd. Neb.

Dere mewn, 'machgen i.

Mor hawdd â hynny. Doedd e ddim wedi sylwi ar unrhyw wahaniaeth gan fod ei lygaid yn boddi mewn dagrau.

Mae'r hyn a ddigwyddodd rhyngddo ef a minnau wedyn yn gorfod aros yn gyfrinach. Hyd yn oed ar ôl yr holl amser hyn, hyd yn oed yn yr atgof hwn.

Fe seiliwyd ein priodas ni ar gydraddoldeb. Y gŵr a'r wraig yn gyfysgwydd, neb yn ben ar y llall, neb yn 'gwisgo trwser', ys gwetson nhw. Rydyn ni'n dathlu'n priodas dun neu alwminiwm eleni. Yn ôl rhai awdurdodau ar y pethau hyn, symbol deng mlynedd o briodas yw'r tun, eraill yn dweud mai alwminiwm yw e (does dim gair Cymraeg naturiol am alwminiwm, hyd y gwelaf i). Felly, mae tipyn o ansicrwydd ynddi. Dydw i ddim yn siŵr beth i byrnu i ti'n anrheg; broets o dun neu ynteu neclis neu freichled o alwminiwm. Mae dau fis arall tan hynny, beth bynnag. A rhaid iti ddod yn ôl yn sâff o'r ysbyty a gwella'n llwyr o'r driniaeth ddiweddaraf cyn inni gyrraedd y garreg filltir honno. Ac mae'r meddygon yn obeithiol iawn. Daw, fe ddaw'r cof a'r bersonoliaeth yn ôl, yn aml iawn, i bobol yn dy gyflwr di. Dydyn nhw ddim yn gwbod pa mor arbennig wyt ti. Rwyt ti'n siŵr o adennill dy feddwl yn llwyr; mi wna' i fy ngorau i'th helpu di. Fel y gwnest ti fy helpu drwy fy chwalfa nerfol ar ddechrau'n priodas, ar ôl i mi gael y drafferth 'na yn yr ysgol.

Deng mlynedd! Pwy 'se'n meddwl? Pwy 'se wedi rhag-weld yr holl flynyddoedd hyn o gytundeb dedwydd, o gyd-dynnu mewn cytgord perffaith ac o bartneriaeth gydradd? Nid dy riem snobyddlyd yn sicr. Ni châi eu lodes nhw o'r Cwm briodi bachgen o Wrecsam, gradd neu beidio. Ond priodi wnaethon ni, serch hynny. A wyddost ti, Linda? Amheuest ti? Wnest ti ddim awgrymu dy fod ti'n gwybod.

Y prynhawn hwnnw, pan ddest ti adre o'th waith yn siop Illtyd Hughes yn y dre, roeddwn i wedi'i guddio fe yn yr unig le yn y tŷ nad oedd hawl 'da ti i dresmasu ynddo – f'ystafell i, 'fy ngwâl', chwedl dithau. A'r noson honno – yn oriau mân y bore, a gweud y gwir – yr es i ag ef i lawr i'r afon, lle daethon nhw o hyd iddo wedyn. A glywest ti? Baglais dan fy maich unwaith ar y grisiau. A glywest ti'r drws yn agor wrth i mi fynd, yn cau ar ôl i mi ddychwelyd? Doedd dim marc ar dy ddillad, nag oedd? Dim gwaed. Mygu wnaeth e.

A dyna ddechrau'r *Via Dolorosa* i mi, wedyn. Dwi ddim yn deall sut na chefais f'amau. Ewan Jones gafodd y bai i gyd, druan ohono. A chaeodd hwnnw ei geg ei hun, chwarae teg iddo.

A beth am rieni'r plentyn? Aeth gwallt ei fam yn wyn a buodd hi farw yn ei thrigeiniau, dim mwy na phum mlynedd ar ôl... wel ar ôl marwolaeth y crwtyn. Symudodd y tad i rywle arall a phriodi eto. A wyddost ti, dwi ddim yn credu bod neb yn byw yn y stryd 'ma nawr oedd yn byw yma pryd 'ny. Maen nhw i gyd wedi marw neu wedi symud. A dyw'r genhedlaeth newydd ddim yn sefyll yn hir; hel eu pac ar ôl rhyw ddwy neu dair mlynedd. Dieithriaid yw pawb nawr. Ond yma rydyn ni o hyd.